Zelfverwoestingsboek

Marian Donner

ZELF-VERWOESTINGS-BOEK

WAAROM WE MEER MOETEN STINKEN,
DRINKEN, BLOEDEN, BRANDEN EN DANSEN

DAS MAG UITGEVERS

Marian Donner studeerde in de psychologie af op liefde en hartstocht. Ze was werkzaam in de politiek, het ontwikkelingswerk en het nachtleven, en schrijft en schreef voor *De Groene Amsterdammer*, *NRC Handelsblad* en *nrc.next*.

Eerste druk: juni 2019

© 2019, Marian Donner

Ontwerp: Lyanne Tonk
Productiebegeleiding: Tim Beijer
Auteursfoto: Maarten van der Kamp

NUR 770

www.dasmag.nl

I Get Out – LAURYN HILL

Een ronde pin in een vierkant gat te zijn, deel 1

They called me mad, and I called them mad, and damn them, they outvoted me.

—

SCHRIJVER NATHANIEL LEE NADAT HIJ OMSTREEKS 1684 AFGEVOERD WAS NAAR EEN GEKKENHUIS

Here's to the crazy ones... zo begon Apples iconische reclame uit 1997 – *Think Different*. Deze is voor de gekken...

Tot die tijd hadden reclames zich op het te verkopen product gericht en het gevoel dat dit product je kon geven. Die ene shampoo, zonnebril of spijkerbroek zou je aantrekkelijker maken, spannender en het leven beter. Maar in *Think Different* deed het product er niet meer toe. Deze reclame was een persoonlijke opdracht. Een opdracht om een betere versie van jezelf te worden, onafhankelijk van het product.

Wees meer als de gekken, de buitenstaanders, de rebellen en de druktemakers, droeg de gedragen stem van Steve Jobs ons op. Wees 'een ronde pin in een vierkant gat'. Laat je inspireren door Einstein, Picasso, Gandhi en Martin Luther King. Houd je niet aan de regels. Denk anders dan de rest. 'Because the ones who are crazy enough to think that they can change the world, are the ones who do.'

Wat volgde was een hele trits vergelijkbare reclames. *Just Do It!* van Nike. *Impossible is Nothing* van

Adidas. *Go Forth* van Levi's, begeleid door Bukowski's prachtige gedicht 'The Laughing Heart' – 'Your life is your life,/ don't let it be clubbed into dank/ submission.'

Of recent *Dream Crazy* van Nike, en het vervolg daarop *Dream Crazier* – 'If they want to call you crazy, fine, show them what crazy can do.'

Speel je eigen spel, laat je niet tegenhouden door de status quo. De boodschap is telkens *inspirational. Motivational. Empowering.*

Gillette belooft niet meer dat zijn scheermesje het beste is wat een man kan krijgen, *The best a man can get*, maar dat het mesje hem beter zal maken: *The best a man can be.* De nieuwe lichting reclames roept je op om jezelf te bevrijden. Van negativiteit, twijfel en onzekerheid. Want je hebt het allemaal al in je, dat betere leven, die betere wereld, als je maar in jezelf gelooft. Succes, geluk, het is allemaal een keuze. Dus kies er dan ook voor.

En daar zit je dan, thuis op de bank. Je hebt geen cent te makken, je zit vast in een bullshitbaan en je hangt zo langzamerhand tegen een burn-out aan. Het lukt je nauwelijks om zonder walging in de spiegel te kijken. Omdat je al zo vaak een druktemaker bent genoemd, slik je sinds kort Ritalin.

Dit is de hedendaagse realiteit. De gekken uit de Apple-reclame? Die heten tegenwoordig 'verwarde mannen'. Buitenstaanders zijn losers. Rebellen kopen een T-shirt van The Clash bij H&M. Geen baas die zit te wachten op werknemers die 'niet dol op regels zijn'.

En wie zich een ronde pin in een vierkant gat voelt, leest een zelfhulpboek – zeven stappen naar succes, tien stappen naar geluk, honderd dingen die je nog gedaan moet hebben, duizend dingen die je nooit meer moet doen. Opdat je jezelf alsnog in dat gat kunt wurmen. Want dit is wat al die zelfhulpboeken, artikelen, TED Talks, lezingen, cursussen en coaches, je in feite geven: regels. Regels zodat je beter zult functioneren en beter aangepast raakt aan de status quo.

Erbij horen. Meedoen. Dat is waar het om gaat.

Wees positief, loop rechtop, ruim je huis op, maak 's ochtends je bed op, verlaat je comfortzone, breng routines aan, stel prioriteiten, ken je kracht, werk aan je zwaktes, luister naar anderen, negeer slecht advies, wees dankbaar. En lach. Lach echt, het soort lach waarbij ook je ogen meedoen, het reduceert stress. Doe aan sport, doe aan mindfulness, leer je woede en angsten beheersen, eet gezond, groene smoothies, avocado's: alleen als je lichaam optimaal presteert, zal ook je geest dat doen. Maak een plan, hou je eraan, want je kunt het, yes you can, eat that frog, spark joy, geef geen fuck en denk anders!

Net als in reclames is het allemaal even *inspirational. Motivational. Empowering.* En net als in reclames ligt het probleem altijd bij jou. *Think Different, Dream Crazy, Impossible is Nothing*: het is het idee dat de enige die je tegenhoudt jijzelf bent. Vergeet dus de producten, vergeet hoe ze zijn gemaakt, vergeet de wereld om je heen en de politieke en sociaaleconomische structuren die daarin heersen. Geloof in plaats daarvan in de neoliberale droom waarin alleen jij, ja, jij alleen, het heft in handen hebt. Als je maar op de toppen van je kunnen speelt, ook al val je erbij neer – 'Believe in something, even if it means sacrificing everything.'

Het politieke is persoonlijk gemaakt, problemen zijn geprivatiseerd. Het is een kinderlijke manier van denken – ook kinderen geven zichzelf overal de schuld van, of het nu is dat hun ouders gaan scheiden of dat ze worden gepest. En toch heb je de boodschap in 'dank submission' overgenomen. Je bent gaan denken dat jij het probleem bent. Dat het aan jou ligt dat je nog steeds niet gelukkig bent, succesvol bent, en zo langzamerhand tegen een burn-out aanhangt. En dus heb je Headspace aangeschaft. Een polsbandje telt je stappen, een app meet je slaap, je probeert je niet meer op het negatieve te richten, maar positief te zijn. In de supermarkt negeer je de kwade gezichten. Als je baas je slecht behandelt, bedenk je dat hij het vast ook moeilijk heeft. Je houdt een dankbaarheidsdagboek bij.

Het is geen zelfhulp, nee, je noemt het zelfzorg. Je doet het uit liefde voor jezelf. Je doet het omdat je het gevoel hebt dat het beter kan, dat er meer moet zijn dan dit. Maar wat de zelfhulpindustrie je uiteindelijk biedt, is niet meer dan een heleboel trucs, buffers en lifehacks om het langer vol te houden. Opdat je het spel beter meespeelt en vergeet hoe onbegrijpelijk deze wereld eigenlijk is. Wat je vooral leert, is om je woede en angst op een lelieblad aan je voorbij te zien trekken en te verdragen wat eigenlijk ondraaglijk is.

Dat gevoel dat het beter kan, dat er meer moet zijn dan dit, dat klopt. Alleen ben jij niet degene die jezelf tegenhoudt.

Als het voelt alsof er geen plek voor je is op deze wereld, zei Virginia Woolf ooit, moet je je niet afvragen wat er mis is met jou, maar wat er mis is met de wereld.

In Virginia Woolfs tijd was het nog verboden voor een vrouw om alleen naar een bibliotheek te gaan, ze moest begeleiding hebben van een man. Kennis werd gevaarlijk geacht. Ook al kwam die kennis onder anderen van Woolf zelf, ze mocht de boeken die ze zelf geschreven had niet in haar eentje doorbladeren.

In zo'n situatie is er een aantal dingen dat je kunt doen. Je kunt proberen om stiekem binnen te komen door je te verkleden als man. Het is wat in de loop van de geschiedenis duizenden, zo niet honderdduizenden vrouwen hebben gedaan om alsnog mee te mogen spelen. Of je kunt, moderner, je proberen in te vechten om de uitzondering te mogen zijn, bijvoorbeeld door te gaan denken en declareren als een man – *Lean in*, aldus Sheryl Sandberg, want *Nice girls don't get the corner office*, aldus Lois P. Frankel.

Maar je kunt ook denken: fuck dit.

Als de wereld je blijft vertellen dat je niet goed genoeg bent, niet gezond, glad, fit, productief, positief of zen genoeg, wordt het tijd om je af te vragen wat er in godsnaam is misgegaan in die wereld.

Oorspronkelijk is dat ook de betekenis, of opdracht, van de zin 'een ronde pin in een vierkant gat te zijn'. Die zin komt niet van Apple, maar uit de dystopische roman *Brave New World* (1932) van Aldous Huxley. En hij bedoelde er iets heel anders mee dan Apple suggereert.

In *Brave New World* is het de mensheid eindelijk gelukt om continu gelukkig te zijn. Pijn en verdriet zijn uitgebannen, er bestaat geen verveling, wanhoop of eenzaamheid meer, geen angst voor de dood, geen keuzestress. In feite is het precies de wereld die zoveel mensen nu voor zichzelf hopen te creëren.

Om dat te bereiken worden in Huxleys universum foetussen in een artificiële baarmoeder genetisch gemanipuleerd. Zijn de baby's eenmaal geboren, dan krijgen ze via 'neopavloviaanse conditionering' de juiste waarden bijgebracht. Eenmaal volwassen ligt hun bestemming in een van tevoren vastgestelde baan waarvoor ze zijn gekweekt. In zijn geheel blijft de bevolking rustig door het medicijn Soma ('1 cc en je doet weer vrolijk mee!').

Deze heerlijke nieuwe wereld is er een van arbeid en entertainment, van een vredig leven in balans, zonder verleden of toekomst, de mens leeft in het nu, in de 'kalme extase van bereikte vervulling'. En daar is iedereen gelukkig mee. Behalve de vervelende en klagerige Bernard Marx – bij hem is er op een of andere manier iets misgegaan.

Tijdens een afspraakje met Lenina Crowne vraagt

hij of ze niet meer wil zijn dan een geconditioneerde slaaf.

'Zou jij dan niet willen dat je vrij was, Lenina?'

'Ik weet niet waar je het over hebt. Ik bén vrij. Vrij om een fantastisch leven te hebben.'

De vrijheid waar Bernard over droomt is echter een andere. Het is de vrijheid om ondoelmatig en ongelukkig te leven. Om onnuttig, vervelend en klagerig te zijn. Waar Bernard naar verlangt is het recht om een ronde pin in een vierkant gat te zijn.

Stel dat Apple zich aan die betekenis had gehouden. Wat een fantastische reclame zou dat zijn geweest. Geen beelden van Einstein, Picasso, Gandhi of King, maar van een jongetje dat krijsend tussen een kinderkoor staat. Een meisje met een woedeaanval. Een vrouw in een café die met niemand wil praten. Een man die alleen thuis tegen zijn televisie schreeuwt. Beelden dus van onzichtbare buitenstaanders, de mensen die niets bijdragen, maar alleen iets verstoren, een wereldbeeld bijvoorbeeld waarin alles draait om productiviteit, geluk en succes.

Op een bepaalde manier is dit *Zelfverwoestingsboek* die reclame. Het is in ieder geval het tegenovergestelde van een zelfhulpboek.

Want wij zijn het probleem niet, het probleem zit in de wereld om ons heen.

Dit is een wereld waarin alles gericht is op beter en meer, waarin niets ooit genoeg is en je altijd productiever kan en moet zijn, vooral om meer te consumeren, liefst met een glimlach op je gezicht. Een wereld ook waarin de bestaansonzekerheid ondertussen groeit, de ongelijkheid groeit, vangnetten verdwijnen, de meeste mensen met een chronisch gebrek aan tijd en zingeving leven en depressie wereldwijd volksziekte nummer één is, aldus de Wereldgezondheidsorganisatie.

In zo'n wereld moet je je niet afvragen hoe je jezelf nog kunt verbeteren. In zo'n wereld moet je je afvragen hoe je zo ondermijnend mogelijk kunt zijn voor een systeem dat ons allemaal naar beneden haalt.

Zo ondermijnend mogelijk voor de hang naar lichamelijke perfectie die dat systeem regeert – STINK.

Zo ondermijnend mogelijk voor haar nadruk op productiviteit – DRINK.

Zo ondermijnend mogelijk voor haar oproep tot zelfzorg – BLOED.

Voor haar oproep tot zelfliefde – BRAND.

En tot slot, zo ondermijnend mogelijk voor de rechtlijnigheid van technologie – DANS.

Be on the watch, dichtte Bukowski in 'The Laughing Heart', *there are ways out*.

Je zult er niet gezonder van worden, niet succesvoller en het maakt je al helemaal geen beter mens. Maar het gaat niet om jou. Het gaat erom de wereld te veranderen. *Show them what crazy can do.*

STINK

But if human beings own anything
by right and birth, we own an abundance
of flesh, an abundance of dirt and sex
and sublimity. Only by embracing this
abundance can we liberate ourselves.

—

LAURIE PENNY, *MEAT MARKET*

Alles begint en eindigt met het lichaam. Met botten, spieren en een hart dat klopt. Wij zijn ons bloed dat stroomt, onze mond die spreekt, onze vingers die tasten en onze huid die wordt aangeraakt. We laten zien wie we zijn, waar we staan, door de manier waarop we dat lichaam kleden, hoe we het versieren, hoe en waarheen we het bewegen. Het is een kwetsbaar lichaam. En toch kan dat lichaam tegelijkertijd ook een wapen zijn.

*

In 2021 is het zover, dan gaat eindelijk de nieuwe *Indiana Jones* in de bioscopen draaien. Het is het vijfde deel uit de reeks; het eerste verscheen in 1981, het vierde in 2008. Harrison Ford zal wederom de hoofdrol spelen. Ook al is hij inmiddels zesenzeventig jaar.

Het stootte sommige fans tegen de borst. Ze zouden liever een jonge Indy zien, geen bejaarde van bijna tachtig. Regisseur Steven Spielberg suste de boel:

niemand hoefde zich zorgen te maken, verzekerde hij, Harrison Ford verkeert nog altijd in topconditie.

Dat is ongetwijfeld waar. Op Russell Crowe na houden de sterren hun lichaam met behulp van gezond eten, sport en vooral plastische chirurgie strak en gespierd. Maar er is tegenwoordig nog een hulpmiddel dat ze in topconditie houdt: 'beauty work' heet het in Hollywood. Bedoeld wordt de technologie die beelden digitaal bewerkt. Photoshop dus, maar dan in een versie waarmee werkelijk alles kan, zonder dat de kijker er iets van merkt. Dankzij deze special effects kunnen acteurs jaren jonger, slanker en fitter worden gemaakt. Het is 'plastic surgery with a mouse click', zoals onlinemagazine *Vulture* het noemde.

In het *Vulture*-artikel wordt beschreven wat in de meeste grote films en series inmiddels de standaardprocedure is. Rimpels en andere onregelmatigheden worden weggehaald, wangen en wallen strakgetrokken, waar nodig volgt nog een digitale facelift. Ogen kunnen wat groter worden gemaakt, oren en neuzen wat kleiner. En dat is alleen nog het gezicht. Acteurs kunnen een sixpack krijgen, rondere borsten en billen, een ingesnoerde taille. Sowieso wordt elke pixel opnieuw belicht.

'Een romantische scène heeft niet dezelfde impact als de sterren wallen hebben, een ruwe huid en pafferige wangen,' verklaarde een medeoprichter van marktleider Lola Visual Effects. 'Als je de bioscoop verlaat in de overtuiging dat je favoriete acteur een perfecte huid heeft en geen lichaamsvet, heb ik mijn werk goed gedaan.'

Er hoeft dus helemaal geen nieuwe acteur te worden gecast, Harrison Ford kan zelf een jonge Indy zijn.

Nu waren de sterren van het witte doek altijd al larger than life, ver verheven boven ons gewone stervelingen. Marilyn Monroe kreeg een nosejob en waarschijnlijk werd ook haar kaak bijgevijld. Bij Rita Hayworth werden de haartjes van haar voorhoofd weggeëpileerd om haar Zuid-Amerikaanse roots te verhullen. Maar de sterren van nu trotseren de werkelijkheid. Ze blijven eeuwig in vorm en eeuwig jong, op beeld tenminste, zonder dat ze daar iets voor hoeven te doen.

In het *Vulture*-artikel beschrijft een digitale mooimaker hoe een bekende acteur na een jaar weer op de set verscheen voor reshoots van een grote actiefilm. Destijds had het hem met training en een strikt dieet veel moeite gekost om in vorm te komen. Dit keer werd zijn hoofd gewoon op een digitale scan van zijn lichaam geplakt.

Een andere mooimaker vertelt hoe hij ooit het zweet van een acteur verwijderde in zestig minuten film, beeldje voor beeldje en druppel voor druppel.

En niet alleen gebrekkige lichamen worden verbeterd, ook aan gebrekkige acteerprestaties valt nog wat te doen. Zo kreeg actrice Jennifer Connelly in de film *Blood Diamond* een biggelende traan over haar wang toegevoegd. In een YouTube-demonstratie is te zien hoe een glimlach wordt aangezet 'zodat het er iets oprechter uitziet'. Starre wenkbrauwen krijgen weer beweging, een blik van angst verandert in een blik van woede.

Het zijn aanpassingen die ironisch genoeg ook veel vaker nodig zijn, juist om de effecten van reallife plastische chirurgie te compenseren. Te veel botox en te strakke facelifts hebben het gezicht van de sterren verstard. Alleen met behulp van het digitale mes kunnen ze weer emotie uitdrukken.

*

Waar kijken we naar als we de sterren zien? Waar kijken we überhaupt naar als we de televisie aanzetten of een tijdschrift openslaan? In reclame- en modefotografie gebeurt het allemaal al veel langer, daar bestaat geen lichaam meer dat onbewerkt blijft. Meestal valt dat pas op als er iets misgaat – een arm die ontbreekt, ogen die zo groot zijn dat ze van een alien lijken – of als een beroemdheid zich erover beklaagt. Prinses Meghan Markle bijvoorbeeld, die niet begreep waarom de Franse *Elle* haar sproeten had weggehaald. Of actrice Lupita Nyong'o wier afrohaar door de Engelse *Grazia* werd gladgestreken, volgens Nyong'o om het te laten voldoen aan een 'meer eurocentrische notie over mooi haar'. Beide tijdschriften wisten niet hoe snel ze hun excuses moesten maken, alsof dit een eenmalig foutje was, maar ondertussen wordt elk lichaam de mal van het heersende schoonheidsideaal in geduwd.

Dat schoonheidsideaal schrijft tegenwoordig bovenal voor dat een lichaam 'schoon' en glad dient te zijn. Ontdaan van oneffenheden, groeven, bulten, vet en alle andere tekenen van de tijd of van het feit dat iemand eet en leeft. Meer als een robot, of machine.

Mannen moeten gespierd zijn, of het nu acteurs en modellen zijn of hiphoppers en popsterren (zie de before- en afterfoto's van Justin Bieber voor Calvin Klein, zijn lichaam is bijna twee keer zo groot gemaakt). Vrouwen moeten strak, glad en eeuwig jong zijn. Waarbij voor zwarte vrouwen ook nog eens geldt dat ze liefst zo licht mogelijk zijn. De huid van Beyoncé werd al een aantal keer gebleekt (en die van moordenaar O.J. Simpson ooit door *Time Magazine* juist donkerder gemaakt).

Het is een ideaal dat zich niet alleen doet gelden in films, tijdschriften of reclames, maar ook op sociale media. Behalve het digitale mes zijn daar nog een paar trucs die gebruikers toepassen. Zo laat de twintigjarige instagrammer Sara Puhto op haar account zien hoe een bolle buik en hangende billen als bij toverslag verdwijnen door de juiste hoek, houding en spierspanning.

Dit zijn de lichamen waarmee we ons van alle kanten omringd zien – gladgestreken en steriel. Alles wat van het lichaam een lichaam maakt, het zogenaamde vuil ervan, het vet, bloed, zweet en gal, wordt onzichtbaar gemaakt. In de alomtegenwoordige beeldcultuur wordt het natuurlijke lichaam elke dag opnieuw vernietigd.

*

We shape our tools and then our tools shape us. We geven onze apparaten vorm en daarna vormen de apparaten ons, aldus de Canadese filosoof en wetenschapper Marshall McLuhan.

McLuhan stierf in 1980, maar nog steeds heeft niemand beter geschreven over technologie en het effect daarvan dan hij. 'De belangrijkste denker sinds Newton, Darwin, Freud en Einstein' noemde schrijver Tom Wolfe hem ooit. Al in de jaren zestig voorspelde McLuhan de komst van internet (reden voor technologietijdschrift *Wired* om hem postuum tot zijn patroonheilige uit te roepen). Zijn bekendste uitspraak is ongetwijfeld 'The medium is the message'.

Wat McLuhan hiermee bedoelde, is dat de boodschap van een medium ligt in het gebruik ervan (een gebruik dat door het medium afgedwongen wordt). Het gaat niet om wat er gezegd of bedoeld wordt, het gaat erom wat het medium zelf met ons doet. Waarbij een medium opgevat moet worden als alles wat de mens ooit gemaakt heeft. Elk apparaat, elk stukje techniek, van een mes tot het wiel tot een auto tot internet, is volgens McLuhan een medium. En allemaal hebben ze een heel specifiek effect.

Om dat effect nu te begrijpen, en te weten hoe een medium ons vormt, of wat de boodschap ervan is, moet je je volgens McLuhan afvragen wat de essentie van dat medium is. Wat maakt het beter, wat vergroot het? Het antwoord daarop voorspelt de toekomst, aldus McLuhan, omdat uiteindelijk elk voordeel zal omslaan in een nadeel. Een teveel wordt een tekort, kracht verandert in zwakte.

Als voorbeeld geeft McLuhan de auto. Wat de auto bracht was snelheid – ons lichaam kon zich voortaan veel sneller bewegen en veel verder reizen dan op twee benen. Maar hoe meer mensen auto's hebben, hoe meer wegen ook dichtslibben met files. Snelheid slaat om in traagheid.

Of televisie, en later in verbeterde vorm internet – ooit gooiden ze de wereld open en daarmee ook ons eigen hoofd, plotseling lag alle kennis voor het oprapen. Wat deze media echter creëerden, was een global village waarin mensen weer ouderwets op het digitale dorpsplein aan de schandpaal worden genageld.

McLuhan indachtig: wat is dan de kracht van digitale bewerkingen als Photoshop en beauty work? Ze maken lichamen mooier dan ze in werkelijkheid zijn. En daarin ligt dus ook de zwakte ervan. Want door al die verbeteringen wordt de werkelijkheid ondertussen alsmaar lelijker.

Als we om ons heen alleen maar perfecte lichamen zien, is het steeds moeilijker om tevreden in de spiegel te kijken.

In het *Vulture*-artikel zegt een digitale mooimaker

het zo: 'Voor de volgende generatie tieners wordt het een stuk moeilijker om zichzelf fysiek niet te haten, aangezien we hen iets goddelijks voorspiegelen.'

Het geldt voor alle media: we kijken naar goden. Strakke, stralende en steriele wezens, onaangetast door de tijd of een kater. In vergelijking daarmee schieten onze eigen lichamen, die vette, bloedende, zwetende dingen, hopeloos tekort. Geen wonder dus dat het natuurlijke lichaam voor sommigen ook echt ondraaglijk is geworden.

*

Is er ooit een tijd geweest dat de mens het natuurlijke lichaam meer heeft geprobeerd in te tomen, te onderdrukken en te disciplineren dan nu, aan het begin van de eenentwintigste eeuw? We managen het, nudgen het en houden het in bedwang. Sport en voedsel dienen het in optimale conditie te krijgen, steeds meer mensen wenden zich tot plastische chirurgie – botox, fillers, een nosejob – om het in de gewenste vorm te beeldhouwen. We vangen het lichaam in cijfers – hoeveel kilo gelift, hoeveel kilometer gerend, hoeveel calorieën ingenomen, welk percentage lichaamsvet opdat we weten waar we staan en waar we willen komen. Selftracking apps tellen onze stappen, onze slaapkwaliteit, onze bloeddruk, allemaal onder het motto: verbeter de cijfers, verbeter jezelf.

We shape our tools and then our tools shape us. We zijn het lichaam zelf als een apparaat gaan beschouwen. Iets wat te vermaken en te verbeteren valt. Iets wat te lijf moet worden gegaan als een schoonmaker die het wil zuiveren van natuurlijke smetten. Ook al leidt die zuivering in sommige gevallen naar vernietiging.

Steeds meer mensen lijden aan morfodysforie, of body dysmorphia in het Engels – ingebeelde lelijkheid. Het aantal anorexia- en boulimiapatiënten groeit. Er zijn nieuwe ziektes ontstaan.

Onder invloed van een trend die bekendstaat als 'clean eating' – geen suiker, geen alcohol, geen dierlijke vetten, vooral groenten en nooit genoeg avocado's – krijgen sommige mensen zo weinig voedingsstoffen binnen dat hun haar uitvalt en een gevaarlijk ondergewicht ontstaat. Orthorexia wordt het genoemd: een obsessie met gezond en 'foutloos' eten.

Bigorexia is een verslaving aan sporten – mensen raken overtraind en rennen hun knieën en gemoed kapot.

Om maar niet te spreken van een verslaving aan plastische chirurgie die gezichten verwoest.

Zo graag willen we het lichaam verbeteren, het goddelijk laten zijn, dat er niets meer van overblijft.

You start out a consumer, you wind up being consumed, aldus McLuhan.

Misschien is dit wel de meest veelzeggende nieuwe ziekte van allemaal: selfie dysmorphia. Want het zijn niet alleen de beelden die ons omringen die steeds gladder en sterieler worden. Het zijn ook de beelden van onszelf. Beelden die niet gefabriceerd worden in hightech studio's, maar door onze eigen telefoons.

33

Ooit moest je de mooimaakfilters zelf aanbrengen, in de nieuwste generatie telefoons daarentegen zijn die filters de default mode. De camera 'ziet' wat er beter kan en gaat automatisch aan het werk. Oneffenheden worden weggewerkt, ogen soms iets groter gemaakt, neuzen wat smaller en gezichten bedekt onder een soort digitale make-up. Iedereen wordt er mooier van. Maar wie in de spiegel kijkt, herkent zichzelf nauwelijks terug. En dus wenden sommige mensen zich tegenwoordig tot een plastisch chirurg om meer op hun selfie te lijken, berichtte *The Guardian* onlangs.

We shape our tools and then our tools shape us – we creëren een digitale realiteit waar de werkelijkheid nooit aan kan tippen en proberen vervolgens die werkelijkheid toch te vervormen.

En tot op zekere hoogte lukt dat ook. Alle manieren waarop het lichaam momenteel verbeterd wordt zijn in feite een overwinning op de natuur. Dankzij fitness, gezond eten en vooral dankzij plastische chirurgie kan iemand van zestig tegenwoordig makkelijk twintig jaar jonger ogen (en andersom, want dat is vooral het effect van al die ingrepen, dat iedereen steeds meer op elkaar begint te lijken). Een kaal hoofd krijgt weer haar, platte lichamen worden rond en andersom. Natuurwetten worden gebroken, de tijd lijkt te zijn stilgezet, het lichaam blijkt inderdaad maakbaar – als je maar graag genoeg wilt, kan het zijn aardse vorm ontstijgen.

Momenteel is er een pil in de maak die je parfum laat zweten. Nu al zijn er mensen die de zweetklieren in hun oksels laten dichtlaseren zodat ze niet meer hoeven te stinken en hun kleding niet meer ontsierd wordt door vlekken. Wie weet ruiken we op een dag allemaal naar bloemetjes.

Het is slechts een begin. Via genetica, biotechnologie en informatica proberen wetenschappers tegenwoordig een soort supermens te creëren, sterker, slimmer, sneller en immuun voor ziektes. Techmiljonairs als Peter Thiel en Elon Musk dromen zelfs van een eeuwig leven. 'Transhumanisme' wordt het genoemd. Met behulp van de nieuwste technieken willen aanhangers de dood verslaan. Een paar jaar geleden richtte Google een heel bedrijf op met hetzelfde doel, Calico (de meest kansrijke optie lijkt momenteel om onze geest, of ziel, te downloaden op een computer).

Want waarom imperfect zijn als dat niet hoeft? De ultieme prestatie is om het natuurlijke lichaam te verslaan. Geen dieren zullen we zijn, maar goden.

*

Goden zweten niet. Ze bloeden niet, ze verouderen niet, ze spuwen geen gal. Goden stinken niet. Maar het gevaar is dat ze daarom ook de stank van het leven niet meer kunnen verdragen.

Een paar jaar geleden liet Adriaan van Dis in *Zomergasten* een fragment zien van een vrouw zonder armen en benen. Ze was een kunstenares die schilderde met haar mond. Ze vroeg zich af hoe de toekomst eruit zou zien als alles te repareren viel. Er zou niemand meer met een gebrek geboren worden, gehandicapten zoals zij zouden uit het straatbeeld verdwijnen. Hoe zouden mensen in dat geval tegen de wereld aankijken?

De vraag bleef onbeantwoord, maar de kans is groot dat mensen nog meer zouden vergeten dat het leven feilbaar is. Dat je niet alles in de hand hebt, dat niet alles maakbaar is en dat er een fundamentele ongelijkheid tussen mensen bestaat. Door de sociaaleconomische, geografische en historische omstandigheden waarin ze geboren worden bijvoorbeeld, maar ook door zoiets simpels en volstrekt ongrijpbaars als geluk.

Momenteel is technologie er bovenal op gericht om oneffenheden te verwijderen. Veelzeggend in dit geval was bijvoorbeeld de voorspelling van futuroloog Ayesha Khanna. Volgens haar duurt het niet lang meer voordat 'slimme' contactlenzen daklozen uit ons beeld laten verdwijnen. Het leek haar logisch, zei ze, 'zodat ons basisgevoel wordt verbeterd'.

Het gevolg van een wereld waarin alles te repareren lijkt, en waaruit het natuurlijke lichaam met al zijn gebreken verdwijnt, is dat we alleen nog maar schoonheid en geluk willen zien en ervaren.

Alle techniek, schreef McLuhan, elk apparaat, hulpmiddel of medium dat de mens ooit heeft ontwikkeld, is een verbetering van zijn eigen lichaam geweest. Van het mes tot het wiel tot de auto tot internet, ze vormen een extensie van een lichaamsdeel – het mes van onze vingernagels, het wiel en de auto van onze benen, het internet van ons brein.

Inmiddels zou je echter kunnen stellen dat die techniek zich tegen het lichaam zelf heeft gekeerd. Wat ons ooit sneller, sterker en slimmer maakte, zorgt er nu voor dat we geen imperfectie meer verdragen. We willen dat ons lichaam zelf het snelste, sterkste en slimste apparaat is.

Maar wie als Icarus naar de zon vliegt, zal vallen. Want we zijn geen goden en de natuur laat zich niet bedwingen. Al dat streven naar perfectie, de mantra van meer-hoger-beter van de huidige cultuur heeft ons vervreemd van ons natuurlijke lichaam, vervreemd van onszelf, en misschien zelfs van de natuur om ons heen – ook die proberen we te managen, in bedwang te houden en te vatten in cijfers (een temperatuurstijging van één graad is geoorloofd).

In je eentje doe je daar weinig tegen, waarschijnlijk zelfs niks. En toch is dat waar verzet begint. Bij ons eigen lichaam. Wij zijn ons hart dat klopt, ons bloed dat stroomt, onze mond die spreekt, en dat lichaam is in potentie een wapen. Omdat het kan volgen of nee kan zeggen. Nee kan zeggen tegen een cultuur waarin niets ooit goed genoeg is en die ons allemaal reduceert tot een apparaat of machine.

Nee, ik zal mijn natuurlijke lichaam niet haten. Nee, ik zal de kwetsbaarheid ervan niet minachten.

Ik zal het niet vatten in cijfers en diagrammen en ik zal niet alles willen repareren. Ik hoef geen god te zijn. Ik mag te dik zijn, oud en ongezond, scheve tanden hebben en vlassige haren, ik mag zweten en stinken, ik mag falen ten opzichte van de heersende gezondheids- en geluksideologie, net als ieder ander dat mag doen. Want de rimpels en oneffenheden in mijn huid, mijn bolle buik, alles wat te groot of te klein is, te zichtbaar, of juist niet: het is van mij. Dit is mijn lichaam, het doet het, het is er, en dat is magisch genoeg.

DRINK

Ik trapte naar de zon en
wist niet hoe te leven.

—

MENNO WIGMAN,

TOEN IK BEGON TE SCHRIJVEN

Soms grijpt alle verloren tijd me naar de keel. Al die avonden in het café, alle daaropvolgende katers, alle weggegooide uren: ik had zoveel meer kunnen doen dan ik heb gedaan. Ik had zoveel meer kunnen schrijven, zoveel productiever kunnen zijn, zoveel meer succes kunnen hebben, misschien. Als ik maar niet was blijven hangen, als ik maar niet had gezegd: oké nog eentje dan. Als ik maar meer zelfdiscipline had betoond.

Uiteindelijk heeft het me ook niets opgeleverd. De meerderheid van die dronken avonden herinner ik me niet eens. Van alle goede gesprekken is er nauwelijks iets blijven hangen, er zijn geen lessen of mooie woorden die ik kan herhalen, geen diepe inzichten om hier te noteren. Op het moment zelf voelde het allemaal enorm intens, heel even leek alles op zijn plek te vallen, mijn gesprekspartner was de slimste die ik ooit sprak, ikzelf was nog slimmer, maar de volgende dag restte niets dan een dikke mist.

Ik weet nog dat ik zat te huilen op het vliegveld van New York, ik miste mijn vriend, toen er een kale man naast me kwam zitten die me zijn zelf gebrouwen wodka aanbood. Hij vertelde dat hij een oorlogsjournalist was, hij kwam net uit Bosnië en was nu op weg naar zijn ranch in Texas. Hij zei dat er helemaal geen Bosniërs, Serviërs of Kroaten bestonden, die categorieën waren ooit bedacht door... een keizer, een koning? Ik weet het niet meer. Ik schreef zijn naam op mijn pakje sigaretten en gooide dat pakje een uur later, stomdronken, in de prullenbak.

Ik had graag een boek van hem gelezen, hij had er meerdere geschreven, vertelde hij, alleen weet ik zijn naam dus niet. Wat ik wel nog weet, is de smaak van die wodka, en hoe het brandde in mijn keel.

Er is een vrouw die ik af en toe tegenkom, ze is blond en heeft heel grote blauwe ogen. We kennen elkaar, we weten alleen niet meer waarvan. 'Ik weet nog hoe erg we gelachen hebben,' zegt ze elke keer. Ik weet het ook nog, of denk dat in ieder geval te weten, want als ik haar zie word ik altijd blij. Maar vervolgens staren we elkaar wezenloos aan. We hebben elkaar niets te zeggen. Alleen op die ene avond, we weten geen van beiden meer wanneer, viel alles samen.

Ik zie nog voor me hoe ik woedend sta te schreeuwen op straat, hoe ik dikke dronkenmanstranen huil, hoe ik in een portiek sta te zoenen met iemand die ik nauwelijks ken. Ik heb geen flauw idee meer waarom ik al die keren zo kwaad of verdrietig was, of wie die jongen eigenlijk was.

Verder valt er niets te vertellen. Ik ben nooit onder invloed in een politiecel, het ziekenhuis of een ver land beland. Ik heb, met andere woorden, niet eens een goed verhaal overgehouden aan al die verloren tijd.

Als ik nou maar had onthouden met wie ik praatte, zoende of ruziemaakte, als ik dat allemaal slim had aangepakt, dan had ik het 'netwerken' kunnen noemen en had ik er tenminste nog wat aan gehad.

Ik weet nog dat ik besloot me niet meer te schamen. Ik liep met een kater over de Wibautstraat waar de zon lange schaduwen trok en ik dacht: het heeft geen zin. Ik kan niet veranderen met wie ik heb gezoend, met wie ik op tafel heb gedanst, met wie ik larmoyante gesprekken heb gevoerd (nee, jij bent leuk! Neeee, jíj bent leuk!) of wie ik beledigd heb. Vanaf toen maakte ik er in mijn hoofd gewoon een ander verhaal van. Een verhaal waarin mijn mascara niet uitgelopen was, ik niet van mijn fiets gevallen was, ik over niemand heen had gekotst en ik ook heus niet zoende met iemand die net had gekotst. Niemand was beledigd, niemand had verdriet, alles was mooi en niets deed pijn.

Wat is herinnering meer dan een ingesleten pad in je brein? Als je maar vaak genoeg hetzelfde denkt, wordt het vanzelf echt.

Ik leefde in een roes met gefantaseerde herinneringen. Ik was aan het spijbelen. Nog steeds doe ik niets liever dan dat. Ergens moeten zijn, iets moeten doen, en dat dan laten. Ik heb gespijbeld van school, werk, vriendschappen, leven en liefde.

Dit is hoe het werkt: wie spijbelt, vindt een gat in de tijd. Zo voelt het, alsof je een deur door gaat naar een parallel universum. In de gewone wereld draait alles door, daar werkt iedereen hard aan zijn toekomst, zoals ik dat ook zou moeten doen, maar aan de andere kant van de deur bestaat die toekomst niet. Daar zijn geen regels of geboden, daar is niemand die iets van je wil, daar ben je vrij.

Dronken zijn is spijbelen. Drugs gebruiken is spijbelen. Schrijven is spijbelen. Het is een ontsnapping uit de werkelijkheid, uit je eigen hoofd.

Het is het verschil tussen de rede en de roes, schrijft filosoof Bertrand Russell in zijn standaardwerk *De geschiedenis van de westerse filosofie*. Het verschil tussen doen wat je moet doen en daaraan ontsnappen, of ervan spijbelen. Het is het verschil tussen een tijd die voortstuwt en een die stilstaat.

Dit is altijd mijn droom geweest – ergens langs de rand van het water zitten, mijn benen bungelend over de kade, met de zon op mijn gezicht en naast me een vriendin of mijn geliefde, een fles wijn en een pakje sigaretten. Wat ik zocht was een leven met zo min mogelijk verantwoordelijkheid. Met niemand die iets van me wilde, niemand die iets van me vroeg, er zijn en meer niet. En daarna ergens dansen, en daarna nog naar een afterparty, en nog een, en dan 's ochtends met mijn dronken hoofd al die frisse mensen naar hun werk zien fietsen om zelf te gaan slapen en pas 's middags weer wakker te worden en me dan nog eens om te draaien. En nog eens, en nog eens.

Ongetwijfeld is dit ook de reden dat mijn vriend en ik zo lang gewacht hebben met het krijgen van een kind. Of beter gezegd, dat we zo lang gewacht hebben met het besluit om misschien maar eens heel voorzichtig te gaan proberen er een te krijgen. Pas na vijftien jaar samen, toen onze kansen statistisch gezien al bijna verkeken waren en bijna al mijn vriendinnen allang een volwaardig gezin hadden, kon ik leven met het idee minder tijd te verdoen. Het is een wonder dat het gelukt is. En daar ben ik heel gelukkig mee, maar vier jaar later mis ik nog steeds de nachten.

Jarenlang leefde ik 's nachts, ondersteund door een baantje achter de bar bij een club en later aan de telefoon bij een escortbureau. Na goede dagbanen te hebben gehad in de politiek en het ontwikkelingswerk was dit waar ik voor koos. Omdat ik de nacht het mooiste moment van de dag vind. Als er geen zon langs de hemel schuift om aan te geven dat de uren verglijden, maar alles verdwijnt in hetzelfde zwarte gat.

Alleen 's nachts valt er werkelijk iets te bevechten, alleen dan laten de monsters en demonen zich zien.

Bij het escortbureau waar ik werkte zag ik de studentes, de moeders, de vrouwen met een topbaan in het bedrijfsleven die kozen voor een ander leven naast hun gewone bestaan, een schaduwbestaan. Vaak waren ze in dat gewone leven verlegen, ingetogen, ze zochten een vrijheid die ze elders niet konden vinden. Een bevrijding van zichzelf. Of misschien juist een bevrijding van de wereld om hen heen. Als

47

escort konden ze heel even iemand anders zijn. Net zoals ook klanten iemand anders konden zijn.

Niet het dubbelleven, maar het gebrek aan dubbellevens is wat ons ziek maakt, schreef Arnon Grunberg in *NRC Handelsblad*. 'Niet de ander maar het gevangen zitten in één verhaal waaruit geen ontsnappen mogelijk is, is de hel.'

Tegenwoordig zijn de enige monsters en demonen die ik nog bevecht die van mijn zoontje, en dat is vooralsnog een strijd die zich bij daglicht afspeelt. 's Nachts slaap ik alleen nog maar, diepe droomloze uren.

*

Volgens Bertrand Russell hoort het allemaal bij beschaving. Dat verlangen om te ontsnappen, te spijbelen, is in feite niets meer dan een verlangen om te ontsnappen aan de aanpassing die beschaving van ons allemaal vraagt.

Zonder die beschaving had de menselijke soort het nooit tot de top van de voedselketen gebracht. Beschaving heeft ervoor gezorgd dat we in grote groepen kunnen functioneren, dat we steden hebben, wetenschap en democratie. De wetten, gebruiken en mores die beschaving oplegt, zorgen ervoor dat miljoenen tot miljarden mensen redelijk soepel samenleven en elkaar verdragen. Tegelijkertijd echter, schrijft Russell, leeft bij ieder beschaafd gemaakt individu het sluimerende besef dat met die wetten, gebruiken en mores ook iets verloren is gegaan. Noem het instinct, hartstocht, of het primitief dierlijke vanbinnen.

Het is, zoals gezegd, het verschil tussen de rede en de roes.

Dat verschil ontstond door de opkomst van de landbouw, schrijft Russell. Leefde de mens als jager-verzamelaar nog van dag tot dag, als boer moest hij vooruit leren denken. Hij moest investeren in de toekomst. Als het land niet op tijd bezaaid en geploegd werd, zou er een halfjaar later immers geen eten zijn. Om de winter door te komen moesten er voorraden worden aangelegd.

Volgens Russell is dit dan ook wat de primitieve mens onderscheidt van de beschaafde variant: 'zijn *voorzichtigheid* of, om een wat ruimer begrip te gebruiken, zijn *vooruitzien*'. De beschaafde mens is 'bereid zich in het heden moeite te getroosten met het oog op toekomstige genoegens, ook al liggen die genoegens in een betrekkelijk verre toekomst'.

Bij bijen die honing verzamelen of eekhoorns die een voorraad noten aanleggen komt het gedrag voort uit een instinctieve impuls, schrijft Russell. Bij de mens daarentegen is het zijn verstand dat hem vertelt nu te handelen om daar later de vruchten van te plukken. Hij weet dat hij inspanning moet leveren, dat hij moet plannen om te kunnen overleven, dat komt niet voort uit een spontane impuls.

Net zomin als je aanwezigheid in de schoolbanken, het volgen van extra cursussen, het pimpen van je cv of netwerken dat doet.

Je past je gedrag in het heden aan om in de toekomst iemand te kunnen zijn. Je besluit minder te drinken en niet meer te roken om überhaupt een toekomst te hebben. Je offert het heden op voor wat nog moet komen. Ook al is het maar de vraag of het ooit gaat gebeuren.

Hoe nu moet een mens hieraan ontsnappen? Hoe schakelt hij zijn verstand uit? Het was dezelfde landbouw die van hem een planner had gemaakt die ook de oplossing bracht. En wel in de vorm van bier en wijn. Plotseling kon er ook graan en hop worden verbouwd, er konden druiven worden geteeld. Men leerde zodoende de dronkenschap kennen. En de manier waarop die dronkenschap het vooruitzien vernietigt.

Wie dronken is, denkt immers niet aan later en alles wat er nog moet. 'Zijn verbeelding wordt plotseling verlost uit de gevangenis van alledaagse beslommeringen,' aldus Russell.

Dronkenschap kreeg een god, Dionysus, of Bacchus. De roes werd goddelijk. Omdat alleen in de roes de wereld weer als geheel werd ervaren.

De roes herstelde wat door het vooruitzien vernietigd was. Hij bracht een intensiteit van gevoel, een geestdrift en een spontaniteit die leidde tot nieuwe inzichten. In dit verband noemt Russell bijvoorbeeld het woord 'theorie' dat bij de oude Grieken ontstond. Theorie betekent 'hartstochtelijke, sympathische contemplatie'. De oude Grieken beschouwde het als een extatische openbaring die buiten de droge, heldere, vooruitziende realiteit bestond. En die openbaring werd (mede) onder invloed van alcohol gevonden, als de geest vrij was van het denken in oorzaak en gevolg, vrij was van de ratio, en in plaats daarvan een sprong in het diepe kon maken.

'Veel van de grootste prestaties van de mensheid zijn het resultaat geweest van dit proces van geestelijke intoxicatie, dit opzij dringen van de voorzichtigheid door de hartstocht,' schrijft Russell. 'Zonder het bacchische element zou het leven saai zijn; mét dit element is het gevaarlijk. Het conflict tussen hartstocht en voorzichtigheid loopt als een rode draad door de geschiedenis. Het is een conflict waarin wij niet onvoorwaardelijk partij zouden moeten kiezen.'

Elk mens zou moeten leren laveren tussen de rede en de roes. Als ideaal voorbeeld daarvan noemt Russell de grondlegger van de wiskunde, Pythagoras (levend rond 532 voor Christus), bij de meesten nog bekend van zijn formule om de schuine zijde van een rechtbenige driehoek te berekenen. Maar Pythagoras was ook de leider van een cultus die mede draaide om het eren van de roes. In deze cultus waren mannen en vrouwen gelijkwaardig, 2400 jaar voor Marx werd privébezit er als diefstal gezien – zelfs wiskundige en natuurkundige ontdekkingen kregen geen individuele auteur. Tegelijkertijd echter schreven de regels ook voor dat volgelingen geen bonen mochten eten, geen witte haan mochten aanraken en geen brede hoofdwegen mochten bewandelen.

Volgens Russell heeft niemand in de geschiedenis zo'n grote invloed op het denken gehad als

Pythagoras: '...in intellectueel opzicht een van de belangrijkste mensen [...] die ooit hebben geleefd, zowel in zijn wijsheid als in zijn dwaasheid'. Maar zonder dwaasheid bestaat er waarschijnlijk ook geen wijsheid.

Waar is nu nog de uitweg? Waar is de leer die de ratio verbindt met de roes? Die het hoogste met het laagste verbindt en erkent dat ook, of juist, in dat laagste wijsheid te vinden is?

Het lijkt of tegenwoordig onvoorwaardelijk partij is gekozen voor de zorg voor de toekomst, het vooruitzien. De hele zelfhulpindustrie die continu oproept om in jezelf te investeren is ondraaglijk streng, en ondraaglijk nuchter. Geen drank, geen sigaretten, geen afleiding, geen uitstelgedrag. Ja, leven in het moment, maar dan alleen door het moment op een lelieblad aan je voorbij te zien trekken, in plaats van in die poel te springen. Wiskunde wordt er gebruikt voor algoritmen, voor apps die je stappen meten of slaap reguleren. Waar is de 'hartstochtelijke, sympathische contemplatie' die bevrijdt in plaats van inperkt?

Alcohol is slecht voor je lichaam, natuurlijk, elk jaar sterven er miljoenen mensen vroegtijdig door overmatig gebruik. Er raken mensen verslaafd aan, alcoholisme schijnt een van de moeilijkste verslavingen te zijn om vanaf te komen. Maar alcoholisme is ook niet waar ik voor pleit. Wie continu dronken moet of wil zijn, is even extreem bezig als de wijze waarop de samenleving nu voor nuchterheid pleit.

Het gaat om de weg daartussen. De erkenning dat met de winst van een optimale gezondheid en productiviteit die je mee laat spelen op de toppen van je kunnen ook iets verloren gaat. Dwaasheid, geestdrift, onvoorzichtigheid en niet in de laatste plaats een besef van machteloosheid.

Door niet te drinken, of met puriteinse mate, hoop je langer gezond te blijven, langer te leven. 'Als ik ergens fomo voor heb,' zei een vriendin, 'is het wel voor de toekomst.' Gezond leven dient volgens die redenering als een soort verzekering, een extra garantie. Maar wat het vooral oplevert is een vals gevoel van controle. Alsof het noodlot valt te verslaan.

'Het leven van iemand die niet drinkt, niet neukt en niet rookt, duurt niet langer, maar lijkt slechts langer te duren,' had de Poolse socioloog Zygmunt Bauman volgens de overlevering op een briefje boven zijn bureau staan. Bauman werd 91 jaar.

Het is niet iedereen gegeven om een middenweg te vinden, sommigen moeten wel geheel stoppen om niet continu te gebruiken. Maar dat zijn uitzonderingen. Voor de meeste mensen geldt dat er wel degelijk een balans te vinden is.

Ik had veel meer kunnen doen, ik had veel meer kunnen schrijven, ik had succesvoller kunnen zijn (of harder op mijn bek kunnen gaan). Al die verloren avonden dienden nergens toe, ik heb domme dingen gedaan, ruziegemaakt, als ook vrienden gemaakt, geliefden ontmoet en heel wat 'extatische openbaringen' gehad die ik vervolgens weer vergat of die bij nader inzien toch niet zo bijzonder bleken. Maar ik vond wel wat ik zocht. Heel even ontsnapte ik uit die wereld van praktisch nut, van doelen en goals, van het in mezelf moeten investeren, of nog erger: mezelf moeten optimaliseren. Heel even voelde ik niet de zwaarte van de toekomst die overal een schaduw over werpt.

Dat is waar de roes toe dient: 'Om niet de helse last te voelen van de Tijd die je schouders breekt en je naar de aarde drukt,' schrijft Baudelaire in zijn gedicht 'Wees altijd dronken'. Ik had misschien meer kunnen doen, maar het is me in ieder geval wel gelukt om af en toe 'geen gemartelde slaaf van de Tijd' te zijn.

BLOED

De werkelijke vloek van dit tijdperk is
daarentegen dat het de suggestie wekt niet
bloedig genoeg te zijn. Het bloed is niet
meer zichtbaar, het spat niet hoog genoeg
op tegen het gezicht van onze farizeeërs.
Verder kan het nihilisme niet gaan: de blinde,
dolle moord wordt een oase en de argeloze
misdadiger lijkt verfrissend in vergelijking
met onze zeer intelligente beulen.

—

ALBERT CAMUS, *DE MENS IN OPSTAND*

Een van de beste afleveringen van de Amerikaanse cultserie *Buffy the Vampire Slayer* (1997-2003) is die waarin Buffy gediagnosticeerd wordt met een psychose, 'Normal Again'. Het is de zeventiende aflevering uit het zesde seizoen en net als alle seizoenen daarvoor moet Buffy de wereld redden van vampieren, demonen, goden of gewoon kwaadaardige klasgenoten. Alleen Buffy kan ze stoppen. Omdat Buffy nu eenmaal *the slayer* is. Dat zie je niet aan haar af, op het oog is ze een heel gewone tiener die naar school gaat en nog thuis woont, maar in werkelijkheid is zij de enige die sterk genoeg is om het kwaad te stoppen.

Het is een rol waar Buffy zeven seizoenen lang mee worstelt. Haar alleenstaande moeder weet niet hoe bijzonder ze is, haar vriendjes hebben moeite met haar kracht, of ze zijn een vampier, het liefst zou ze normaal zijn, net als alle andere tieners.

En dan komt op een dag haar wens uit. Buffy is weer normaal. Ze heeft geen speciale krachten, ze denkt alleen maar dat ze die heeft en daarom zit ze al zes jaar lang vast in een gesticht. Haar arts praat op haar in om die rare slayer-fantasie los te laten. Haar moeder zegt dat ze begrijpt dat Buffy ernaar verlangt bijzonder te zijn, iedereen zou wel onoverwinnelijk willen zijn, maar wat Buffy moet leren accepteren is dat ze maar een heel gewone tiener is. Om weer beter te worden zal Buffy haar fantasiewereld moeten vernietigen – alleen dan zal ze kunnen functioneren in de normale wereld.

Ze trappen er allemaal in, want het is natuurlijk een truc. De fantasie is juist deze normale wereld die veroorzaakt is door een gif dat Buffy ingespoten heeft gekregen door een demon. Maar dat heeft alleen de kijker gezien. Alleen de kijker weet nog dat normaal ogende tieners wel degelijk onoverwinnelijk kunnen zijn, precies zoals hij zelf graag fantaseert.

*

Een paar jaar geleden maakte de Wereldgezondheidsorganisatie bekend dat depressie nu volksziekte nummer één is. Wereldwijd lijden er meer dan 300 miljoen mensen aan, een toename van 18 procent in tien jaar tijd. Voor adolescenten vormen mentale aandoeningen de grootste risicofactor voor overlijden, onder meer door suïcide en arbeidsongeschiktheid, aldus de WHO. Volgens filosoof-psychiater Damiaan Denys voldoet in Nederland 42 procent (!) van de bevolking aan criteria van een psychische stoornis zoals stress, angst en neerslachtigheid, zo zei hij in een interview met *NRC Handelsblad*, getiteld

'Het is niet normaal om mooi en succesvol te zijn en alles onder controle te hebben'. Een op de zeven werknemers en studenten lijdt aan een burn-out.

En ja, de mens heeft altijd aan psychische aandoeningen geleden, ze horen als het ware bij onze soort. Maar waarom nemen de aantallen tegenwoordig zo toe? Zijn wij gek geworden of is de wereld het?

Het probleem, zegt Damiaan Denys in zijn *NRC*-interview, is dat mensen tegenwoordig zoveel minder weerbaar zijn: 'Als je hier een ongeluk ziet langs de snelweg, heb je al PTSS.'

Volgens Denys verwachten mensen te veel van het leven, de maakbaarheidsideologie is doorgeslagen, ze denken dat ze alles kunnen controleren en zijn daarom niet meer in staat met tegenslag om te gaan.

Het is dezelfde diagnose die psychiater Dirk De Wachter maakt. 'We zijn te geobsedeerd met geluk. We willen dat alles leuk, leuk, leuk is,' zei hij in een Brainwash Talk.

Hun advies is daarom om onze verwachtingen te temperen, het verdriet meer te omarmen en onze weerbaarheid te vergroten. Hoe? 'Dat doe je door meer in de bossen te lopen, een boek te lezen, vrijwilligerswerk te doen, te bewegen, tijd te nemen voor dingen en geduld te hebben,' stelt Denys. 'Minder sociale media, méér in het café zitten met echte vrienden. Je moet jezelf niet afhankelijk maken van hulp van een psycholoog, je moet proberen zélf je psychisch welzijn te vergroten.'

Of zoals Dirk De Wachter aanraadt: 'Zoek zélf de zin van het leven op een bankje in het park en luister naar het ruisen van de bomen.'

Het zijn adviezen die vaker worden gegeven. Meer ontspanning, meer zelfzorg en meer *me-time*. Sporten, gezond eten, genoeg slaap, meditatie misschien. En het is ook wat de meeste mensen al proberen als ze zich willen opladen. Even wat rust om daarna weer fitter en beter aan de slag te kunnen. Het is een groot verschil met, ik noem maar wat, een advies om meer te drinken. Daar word je tenslotte allesbehalve fitter van. En daarom raadt niemand het ook aan. Je moet wel mee blijven doen.

Maar wat als dat nu juist het probleem is? Dat we blijven proberen om normaal te functioneren in een wereld die allesbehalve normaal is?

Onlangs gaf Britney Spears een goed voorbeeld van het verschil tussen een fitte en een minder fitte aanpak.

Britney Spears is misschien wel de bekendste popster die af en toe publiekelijk worstelt met psychische problemen. Toen ze in 2007 mentaal instortte, gingen de foto's de hele wereld over – iedereen kon zien hoe ze haar hoofd had kaalgeschoren, haar middelvinger opstak naar de toegestroomde fotografen en een van die fotografen aanviel met een paraplu. Jaren later werden er nog grappen over gemaakt. Een beroemdheid die zo uit zijn rol valt, dat is sindsdien alleen geëvenaard door Kanye West.

Inmiddels weet Britney Spears dan ook hoe ze zich moet gedragen. Voordat ze zich in april dit jaar vrijwillig liet opnemen in een *mental health clinic,* schreef ze op haar Instagram-account: 'Fall in love with taking care of yourself, mind, body, spirit', en: 'We all need to take time for a little "me time"', gevolgd door een smiley. Wat volgde, was niets dan publieke sympathie.

In twaalf jaar tijd heeft de agressie plaatsgemaakt voor zelfzorg. De boze smiley tovert een glimlach op zijn gezicht. Dit is hoe je tegenwoordig met pijn en verdriet hoort om te gaan: op een positieve manier. Leed is een kans om even wat me-time te pakken. Het is een uitdaging om te ontdekken waar het in dit leven echt om gaat, en misschien zelfs de zin ervan te ontdekken.

Leed is een middel, een les. Zoals Brad Pitt in een interview zei: 'Ik heb tien jaar lang geworsteld met een depressie. Maar het leert je wel wie je eigenlijk bent. Ik zie het als een leerschool.'

Mits je tenminste bereid bent om die lessen te trekken. Het is aan jou om iets van je leed te máken.

In zijn boek *De vermoeide samenleving* noemt de Koreaans-Duitse filosoof Byung-Chul Han dit 'het geweld van de positiviteit'. Als er echt demonen zouden bestaan, is dit het gif waarmee we allemaal zijn ingespoten. De fantasie is niet dat alles leuk, leuk, leuk moet zijn, maar dat we positief moeten omgaan met alles wat níét leuk is. Dat we opgewekt onze schouders eronder zetten, problemen als kansen zien, pijn als uitdaging, en blijven proberen om zo productief mogelijk te zijn. Met als rechtstreeks gevolg die enorme toename in psychische aandoeningen als depressie, ADHD en burn-out, aldus Han. De oorzaak daarvan ligt niet in een overmaat aan negativiteit, maar in de overmaat aan positiviteit die de huidige prestatiesamenleving kenmerkt. Werd de samenleving ooit beheerst door verboden, geboden en regulering waaraan je diende te gehoorzamen, tegenwoordig rust die samenleving op persoonlijk initiatief en motivatie. Het nee dat vroeger van buitenaf werd opgelegd, is veranderd in een ja dat van binnenuit komt. *Yes, we can!*

De negativiteit van het nee, schrijft Han, verwekte ooit krankzinnigen en misdadigers. Maar de positiviteit van het ja baart nu depressieven en kneuzen. Dit keer is er niemand meer die ons ergens toe dwingt. We denken dat we het allemaal zelf willen. We denken dat we de enige schuldigen zijn.

De eerste keer dat Britney Spears mentaal instortte, richtte haar woede zich naar buiten. Ze viel als het ware de onhaalbare schoonheidsidealen aan (vertegenwoordigd door haar lange, golvende haren) en de bewakers van die idealen – de paparazzi.

De tweede keer daarentegen richtte de woede zich naar binnen. En verschool ze zich achter een smiley.

We zijn zowel de zieke als de verzorger geworden. Zowel de dief als de politieagent. We zijn gaan denken dat wijzelf degenen zijn die ons beroven van geluk, gezondheid en succes, en dat wij ook degenen zijn die deze waarden terug moeten brengen naar hun rechtmatige eigenaar.

We voeren een oorlog tegen onszelf, schrijft Han.

*

Als Dirk De Wachter aanraadt om rustig op een bankje in het park naar het ruisen van de bomen te luisteren, vraag ik me af: maar hoe dan? Hoe blijf je rustig zitten als datzelfde park inmiddels vol staat met fitnessstangen om je pull- en push-ups te doen en het geruis overstemd wordt door de dreunende muziek van klasjes crossfit en bootcamp?

Hoe vind je nog een rustig café als de meeste daarvan plaatsgemaakt hebben voor hippe koffiebars met gratis wifi waar mensen op hun laptop zitten te tikken omdat zij wél bereid zijn om hard te werken?

Hoe breng je geduld op als je baas of opdrachtgever dat niet heeft met jou?

Want dit is waar het op neerkomt. Als Denys zegt: 'De eisen die men stelt aan het leven zijn te hoog. Jonge meisjes willen allemaal mooi zijn, sociaal én slim. Dat is echt alleen weggelegd voor een elite – de allersterkste groep', dan vergeet hij dat het toch echt andersom werkt. Dat dit de eisen zijn die de huidige prestatiesamenleving aan ons allemaal stelt: om de allermooiste, allersociaalste en allerslimste versie van onszelf te worden zodat we kunnen concurreren met de rest.

Je kunt je eisen wel bijstellen, maar dat betekent niet dat de samenleving minder van je eist. Je kunt wel aan zelfzorg doen, maar daarmee verdwijnt het probleem niet. Dit zijn volgens mij geen oplossingen, maar manieren om je aan te passen aan een abnormale wereld.

*

Byung-Chul Han heeft het over de prestatiesamenleving. Het wordt ook wel de 'klusjeseconomie' of 'flexeconomie' genoemd. Een bredere – en betere – beschrijving is: neoliberaal kapitalisme. Dat is het sociaaleconomische systeem dat deze samenleving heeft gecreëerd.

Kapitalisme zijnde het economische systeem dat de wereld al een paar honderd jaar regeert waarin, op zijn allerkortst gezegd, private partijen zich publieke goederen als land, grondstoffen en menskracht toe-eigenen (vaak met geweld) voor het maken van winst. En neoliberalisme als de bijbehorende filosofie daarvan.

Die filosofie werd in de jaren dertig van de vorige eeuw uitgedacht, mede door de Oostenrijkse econoom Friedrich Hayek, en beschouwt de mens als een *homo economicus*: een in essentie rationeel, competitief wezen dat gedreven wordt door eigenbelang. In feite verschilt hij niet veel van een dier (of een kreeft, om Jordan Peterson aan te halen), ook voor mensen is het leven een survival of the fittest waarin iedereen de alfa wil zijn. Wat de mens echter voorheeft, is zijn ratio. Beter dan elk ander dier is de mens in staat te plannen en te plotten en zo de optimale strategie uit te denken om zijn eigenbelang te verwezenlijken (in feite is dit dus hetzelfde onderscheid tussen de primitieve en beschaafde mens dat Bertrand Russell maakte – wij zijn wezens die vooruitplannen – met dit verschil dat bij hem niet alles om eigenbelang draaide).

Deze homo economicus nu komt volgens neoliberalen het best tot zijn recht op de markt van vraag en aanbod. Alleen daar kan de mens zich in volle vrijheid ontwikkelen. Competitie zal hem voortstuwen, het verlangen om beter te zijn en meer te bezitten dan de rest. Met als bijkomend voordeel dat die competitie ervoor zorgt dat de samenleving als geheel de beste en goedkoopste producten krijgt.

In de documentaire *The Trap: What Happened to Our Dream of Freedom?* van Adam Curtis zegt Hayek het als volgt: 'We zullen onze medemens het meest vooruithelpen als we ons alleen laten leiden door het streven naar winst. Daarom moeten we terugkeren naar een automatisch systeem dat dit teweegbrengt, alleen dan zal de vrijheid en welvaart herstellen.' Waarbij dit automatische systeem het kapitalisme is.

Wat daarom goed is voor de markt, is volgens neoliberalen goed voor de mens, is goed voor de samenleving als geheel. De markt 'weet' immers waar behoefte aan is, beter dan bijvoorbeeld een centrale overheid ooit zou kunnen: wat niet nodig is, verkoopt gewoon niet (is het idee). De markt is neutraal. Ze wordt niet geleid door irrationele opvattingen van bijvoorbeeld Kerk, staat of familie, maar door neutrale cijfers waar de mens zelf uit kan afleiden wat loont en niet. De enige waarheid die we nodig hebben, is die van winst- en verliescijfers.

Vanaf de jaren tachtig werden wereldwijd steeds meer samenlevingen naar deze neoliberale ideeën gemodelleerd. Traditionele overheidsterreinen als zorg, onderwijs, vervoer en huisvesting werden geprivatiseerd, de grenzen voor goederen en kapitaal opengezet en de arbeidsmarkt geflexibiliseerd – voortaan waren werknemers uitbaters van hun eigen talenten.

De markt, zo was het idee, zou ons allemaal bevrijden.

Wat echter volgde, was het absolute tegendeel van vrijheid.

Inmiddels heeft het neoliberalisme een wereld gecreëerd waarin een moordende competitie heerst, waarin vijandigheid en achterdocht regeren omdat iedereen in feite een concurrent van elkaar is en waarin we allemaal beheerst worden door die zogenaamd neutrale cijfers in de vorm van prestatiemetingen, procesmanagement en protocollen. Dit is een survival of the fittest met een boekhouder ernaast. De getallen op ons salarisstrookje laten zien of we winnen, of – voor hetzelfde geld – onze likes en volgers op sociale media. Het is nooit genoeg. We moeten blijven groeien, ons blijven ontwikkelen, om een speler van belang te blijven.

Toegegeven, al met al heeft dit ervoor gezorgd dat we inderdaad beter zijn gaan presteren – we zijn tegenwoordig hoger opgeleid, werken harder, en zijn tijdens onze werktijd productiever dan vroeger, zo wijst onderzoek uit (zonder dat het loon overigens evenredig is gestegen). Maar om in het kosten-en-baten discours van het neoliberaal kapitalisme te blijven – de prijs daarvan staat niet in verhouding tot de winst. Dit is een systeem dat alles reduceert tot een grondstof om te gebruiken – de natuur, arbeid en de mens zelf. En ons dientengevolge van al die dingen in dezelfde mate heeft vervreemd.

*

Hoe ver het neoliberaal kapitalistische gedachtegoed inmiddels is doorgedrongen, bleek vorig jaar uit een artikel in *De Correspondent*, 'Wie je bent bepaalt je succes (maar wat moet het onderwijs daarmee?)', van Johannes Visser en Kauthar Bouchallikht. Zij beschrijven hoe de OESO, de Organisatie voor Economische Samenwerking en Ontwikkeling, eind 2017 een pilot is gestart om wereldwijd prestaties op sociaal-emotionele vaardigheden te verbeteren. Dit omdat onderzoek heeft uitgewezen dat voor succes op de arbeidsmarkt niet alleen het IQ belangrijk is, maar ook iemands persoonlijkheid. Optimisme, doorzettingsvermogen en weerbaarheid: het telt allemaal mee.

Binnen de pilot testen scholen, ook in Nederland, hun leerlingen daarom niet meer alleen op vaardigheden als rekenen en lezen, maar ook op hun sociaal-emotionele vaardigheden.

In een brochure geeft de OESO voorbeelden van wenselijk en onwenselijk gedrag. Goed is: lange dagen maken, stressbestendig zijn, goed spreken in het openbaar. Slecht is: je uniform kleden, het hebben van een afkeer van verandering en een voorkeur voor een-op-eengesprekken boven groepsgesprekken. Oftewel, de grondlegger van de westerse filosofie, Socrates, en zijn socratische gesprekken zijn overbodig verklaard. Tegenwoordig moeten we kunnen vergaderen.

In 2020 wil de OESO een internationaal gevalideerde manier te hebben om deze vaardigheden te meten en daarmee overheden te adviseren hoe ze 'persoonlijkheidstraining' het best kunnen integreren in het onderwijs. Want, zoals de leider van dit project, Andreas Schleicher (een Duitse statisticus, iemand dus van getallen, grafieken en gemiddelden), in *De Groene Amsterdammer* zei: 'Als je geen vloer hebt om op te staan, bouw je een muur om je heen. Dat is een natuurlijk menselijk instinct. Dat zien we nu. Mensen kunnen de nieuwe wereld niet navigeren en ze voelen geen grond onder de voeten. Populisme is het directe gevolg van tekortschietend onderwijs.'

Een reden voor dat opkomende populisme zou ook kunnen zijn dat het neoliberaal kapitalisme de grond onder mensen hun voeten heeft weggeslagen, maar zo denkt de OESO niet. Volgens haar is het systeem goed en dienen wij ons gewoon beter aan te passen. Maar dit is dan ook een club die overheden wereldwijd adviseert over het belasting- en investeringsklimaat. Een club ook die opgericht is met maar één doel, namelijk het bewerkstelligen van economische groei. En daarvoor kunnen kinderen zich kennelijk niet vroeg genoeg aanpassen aan de wensen van de markt. Niemand wil tenslotte een loser zijn, of dat zijn kind dat is, *there is no alternative*.

Het is slechts één voorbeeld, uit het onderwijs, maar het neoliberaal kapitalistische gedachtegoed roert zich overal. Zozeer, betoogt de Engelse cultuurtheoreticus Mark Fisher, dat het tegenwoordig bijna onmogelijk is geworden om er nog buiten te denken. Hij schreef er een pamflet over: *Capitalist Realism, Is There No Alternative?* Leidraad daarin vormt een uitspraak van Slavoj Žižek: 'It's easier to imagine the end of the world than the end of capitalism.' Niet omdat het zo'n goed systeem is, maar omdat mensen zijn gaan geloven dat alleen het kapitalisme een realistisch, werkbaar systeem is. Niet perfect, maar beter dan de rest.

Dit geloof is ontstaan, schrijft Fisher, omdat het kapitalisme zich de definitie van realistisch en reëel toegeëigend heeft. Het heeft als het ware een werkelijkheid in zijn evenbeeld gecreëerd. Waardoor wat wij nu als 'echt' beschouwen, in feite slechts 'de waarden van kapitaal [zijn] in zijn meest genadeloze, roofzuchtige vorm'.

Om dat aan te tonen richt Fisher zich tot de populaire cultuur en de 'realiteit' zoals we die tegenwoordig in films en muziek veelal voorgespiegeld krijgen. Bijna zonder uitzondering is dit de realiteit van een wrede, nihilistische wereld waarin iedereen er alleen voor staat. Het is een wereld waarin armoede, racisme en uitbuiting welig tieren. Wie hier wil overleven, zal dat onder ogen moeten zien en tot op zekere hoogte moeten accepteren. De enige manier om te winnen is door het spel mee te spelen, en dit beter te doen dan de rest. Een andere keuze is er doorgaans niet. Deze realiteit doet zich voor als zowel natuurlijk als onvermijdelijk.

Het is de overeenkomst tussen de meeste hiphop en gangsterfilms als *Scarface*, *The Godfather*, *Reservoir Dogs* of *Goodfellas*, schrijft Fisher. Wat deze muziek en films pretenderen is dat ze de wereld van hun sentimentele illusies hebben ontdaan zodat we haar nu kunnen zien voor wat ze werkelijk is: een hobbesiaanse oorlog van allen tegen allen binnen een systeem van eeuwigdurende uitbuiting en algehele criminaliteit.

Of zoals Fisher het zegt: '"To get real" is to confront a state-of-nature where dog eats dog, where you're either a winner or a loser, and where most will be losers.'

Speel mee of ga ten onder. Het is het leven als survival of the fittest waarin iedereen uit is op eigenbelang. Dat is hoe de realiteit zich tegenwoordig doet gelden. Als een weergave van neoliberaal kapitalistische waarden. Ook, of misschien wel vooral, in heel onrealistische films en series.

Toen Fisher *Capitalist Realism* schreef, moest de HBO-serie *Game of Thrones* nog beginnen, maar misschien dat de kapitalistische realiteit wel het best verwoord wordt in aflevering 'The Spoils of War' van het vierde seizoen, middels een monoloog die het personage Little Finger houdt.

Little Finger is een pooier die voor de juiste prijs elke ervaring biedt die klanten zoeken, inclusief marteling en moord. Hij doet niet aan idealen en hogere doelen, zo legt hij uit, dat zijn leugens, 'een verhaal dat we elkaar steeds weer vertellen totdat we vergeten dat het een leugen is'. Het enige waar Little Finger in gelooft, is chaos. 'Chaos is een ladder,' zegt hij (met een stemmig muziekje eronder). Velen proberen de ladder te beklimmen en falen, velen proberen het nooit omdat ze vast blijven houden aan illusies. Maar: 'Alleen de ladder is echt. De klim omhoog is alles wat er is.'

Het zijn maar woorden en Little Finger gaat uiteindelijk natuurlijk dood. Hij wordt gestraft als het ware voor zijn slechtheid. Maar, legt Fisher uit, het gaat er niet om of iets goed of slecht is, er zijn genoeg films waarin een grote multinational de slechterik is die uiteindelijk overwonnen wordt (Fisher noemt hier Pixar-animatie *Wall-E* als voorbeeld). Kapitalistisch realisme is nu eenmaal geen propaganda zoals we dat van vroeger kennen, het vertelt je niet hoe je moet denken. Wat kapitalistisch realisme doet, is 'to conceal the fact that the operations of capital do not depend on any sort of subjectively assumed belief'. Door te doen alsof de ideologie wel subjectief en persoonlijk is, slechts een opvatting van bijvoorbeeld Little Finger waar je het al dan niet mee eens kunt zijn, lijkt het alsof je dit wereld-beeld kunt afwijzen. Alsof de serie het ook afwijst door hem dood te laten gaan. Maar ondertussen is elk ander personage, en de hele serie, doordesemd van hetzelfde wereldbeeld.

Dit, zou je kunnen zeggen, is ook het probleem met het advies dat nu zo vaak wordt gegeven aan mensen die worstelen met een dreigende burn-out of depres-sie. Hun wordt verteld dat ze aan zelfzorg moeten doen, meer me-time moeten nemen om zo zelf tot de zin van het leven te komen. Maar waar die adviezen in feite op neerkomen, zijn niet meer dan tips om zo fit mogelijk te worden in the survival of the fittest die deze wereld nu eenmaal is.

Speel mee, met wat ontspanning af en toe, of ga ten onder.

*

Is er nog een alternatief denkbaar? Of is het werkelijk makkelijker om het einde van de wereld voor te stel-len dan het einde van kapitalisme, zoals Žižek zei?

Zou Žižek *Buffy the Vampire Slayer* wel eens heb-ben gezien?

In *Buffy the Vampire Slayer* dreigde de wereld continu te eindigen. Elk seizoen weer waren er kwaadaardige geesten die het universum wilden vernietigen en elk seizoen weer leken ze een tijd lang aan de winnende hand. Totdat zich een oplossing aandiende. Dit was hoe het altijd ging, een demon of godheid kwam met een voorstel – Buffy moest een offer brengen, dan zou alles goed komen. Om de mensheid te redden hoefde ze alleen maar haar zus, een geliefde of haar beste vriendin op te geven.

Het is een klassiek, moreel dilemma. Mag je één leven offeren om dat van velen te redden? Als je terug in de tijd kon gaan, zou je baby Hitler dan eigenhandig wurgen in de hoop zo de Holocaust te verhinderen? Heiligt het doel de middelen?

Veel mensen menen van wel. Je moet tenslotte realistisch zijn.

Kies dus. Kies hoe je wilt leven, kies of je een winnaar of loser wilt zijn, het is a of b.

A of b, Buffy's liefste bezit of de mensheid, een andere mogelijkheid was er niet. En toch koos Buffy altijd voor c. Omdat ze weigerde zich neer te leggen bij de geponeerde tegenstelling, omdat ze bleef geloven in een alternatief. Het kostte meer moeite, en daarna doemden weer nieuwe problemen op, maar uiteindelijk kreeg ze gelijk, er bleek altijd een andere weg. Niemand hoefde geofferd te worden en alles kwam alsnog goed.

Tegenwoordig klinkt het kinderlijk naïef, misschien zelfs wel een beetje pathetisch. Zeker in vergelijking met series als *Game of Thrones*, *The Soprano's* of *The Wire*, waarin elk offer zonder blikken of blozen gemaakt wordt zolang er maar een voordeel mee te behalen valt. Hét kwaad zoals Buffy dat bestreed, bestaat in deze series ook helemaal niet. Als er al kwaad is, is het diffuus, sluimerend in ons allemaal en onmogelijk te verslaan. Maar dit zijn dan ook series voor volwassenen, niet voor pubers.

Als de volwassene die ik ben, kijk ik inmiddels ook liever naar zo'n volwassen serie dan naar *Buffy*. Wat mij betreft is *The Wire* de beste serie ooit gemaakt, in het bijzonder het tweede seizoen dat in de haven speelt en waarin de bedenker van de serie, David Simon, wilde verbeelden hoe het kapitalisme werkt, zoals hij in een uitzending van *Wintergasten* vertelde. Want inderdaad, de man die enkel bekendstaat als The Greek ís het kapitalisme, onzichtbaar en almachtig ('And of course, I'm not even Greek'). Dit is tegelijkertijd kapitalistisch realisme als het realisme van kapitalisme. *The Wire* toont als geen ander de werkingen van de wereld waarin we allemaal leven.

Maar ooit liet *Buffy the Vampire Slayer* zien hoe de wereld zou móéten werken. Op een bepaalde manier was het nog ouderwetse propaganda. Al was het alleen vanwege het idee dat het doel nooit de middelen mag heiligen, omdat degene die bereid is om een klein offer te brengen, niet zal schromen om ook iets (te) groots te offeren.

Uiteindelijk is er altijd een alternatief, betoogt ook Mark Fisher. Het neoliberaal kapitalisme moet vallen, en wat daar allereerst voor nodig is, is dat we doorbreken wat we 'realistisch' noemen. Er moeten nieuwe strategieën ontwikkeld worden tegen de almacht van Kapitaal, aldus Fisher, de publieke sfeer moet worden terug geclaimd en bovenal is er een ander wereldbeeld nodig.

En dat wereldbeeld, zou ik willen toevoegen, begint met een ander mensbeeld. Momenteel wordt de mens beschouwd en behandeld als niet meer dan een homo economicus en het leven als een survival of the fittest. Wie nu onderdoor dreigt te gaan aan die strijd, dient het dan ook zelf maar uit te zoeken. Al dan niet met therapie, medicijnen, sport, voeding of een lange wandeling in het bos. Hem wordt verteld dat hij realistisch moet zijn. Dat hij zelf een vorm van zingeving dient te formuleren. Alsof dit alleen zijn probleem is.

De toename in psychische aandoeningen, het feit dat depressie wereldwijd volksziekte nummer één is, gaat ons echter allemaal aan. Het is als het ware een wond die de samenleving als geheel is aangebracht. En de vraag hoe we daarmee om moeten gaan is er daarom een die aan iedereen moet worden gesteld. Niet in de laatste plaats ook aan degenen die het wel redden, al dan niet met behulp van veel sport en yoga, de winnaars van deze samenleving dus. Want uiteindelijk zijn het niet de mensen met mentale problemen die een andere mindset moeten krijgen, maar de mensen die geestelijk gezond zijn.

Het enige verschil tussen gekken en normale mensen, zei Freud, is dat de eerste groep een barrière mist – een verdediging tegen de wereld om ons heen.

Het wordt tijd die verdediging te doorbreken. En dat zogenoemd normale mensen een realitycheck krijgen.

Toen zangeres Anouk een paar jaar geleden te gast was in het tv-programma *College Tour*, werd haar zoals na elke aflevering gevraagd of ze nog tips had voor de studenten in het publiek. Nee, antwoordde Anouk, want er bestaat geen recept voor geluk. Ze had mazzel gehad, zei ze, ze was de juiste mensen tegengekomen op het juiste moment. Ze kende oneindig veel mensen die misschien wel beter konden zingen dan zij, maar het toch niet hadden gehaald.

Presentator Twan Huys leek al even verbijsterd als het publiek, want dit is niet hoe het normaal gesproken gaat. Meestal doen succesvolle mensen alsof ze alles aan zichzelf te danken hebben, alsof ze door hard werk, zelfdiscipline en positiviteit gekomen zijn waar ze zijn, en alsof ook jij, minder succesvol individu, dat allemaal kunt bereiken als je maar dezelfde dingen doet. Meestal bijten succesvolle mensen nog liever hun tong af dan toe te geven dat ze, net als iedereen, het leven dat ze leiden bovenal te danken hebben aan geluk, aanleg, opvoeding en de sociaal-culturele omstandigheden waarin ze opgroeiden.

Want succes ís geen keuze, net zomin als falen dat is. Inmiddels zijn er genoeg mensen die dat weten. Het mantra wordt tegenwoordig in ieder geval vaak genoeg herhaald, vooral door psychologen en wetenschappers als Denys die het doorgeslagen maakbaarheidsdenken willen aanklagen. Het probleem zit hem dan ook niet in de boodschap, als wel in de ontvangers daarvan. Want vooralsnog wordt de boodschap vooral gericht aan degenen die het niet (lijken te) halen, de verliezers dus. Zij krijgen keer op keer te horen dat ze niet alles in eigen hand hebben en daarom moeten leren loslaten.

Veel belangrijker echter is dat ook de winnáárs dit gaan horen. Of nog beter: dat ze dit gaan uitdragen. Dat ze stoppen met hun tips en adviezen hoe ook jij kunt worden zoals zij, in zeven of tien stappen, door honderd dingen die je nog moet doen en duizend dingen die je voortaan moet laten, maar erkennen dat ze geluk hebben gehad met hun succes of geestelijke gezondheid. Pas dan zal de boodschap echt overkomen.

'Als wij niet zijn, ben ik niet,' schreef Albert Camus in *De mens in opstand*. In het neoliberaal kapitalisme is de mens niets meer dan een individu, een rationeel dier, dat enkel zijn eigenbelang dient. Maar Camus' woorden laten zien dat het ook anders kan. Ook al heeft hij die woorden waarschijnlijk gejat van de Afrikaanse filosofie Ubuntu waarvan de kern dezelfde is: 'Ik ben, omdat wij zijn'. Het komt op hetzelfde neer: we zijn verantwoordelijk voor elkaar.

Bloed is bloeden voor een ander. Dat bloed erkennen als ware het van jezelf. Om vervolgens samen de wond te kunnen stelpen.

BRAND

Oh, it's so easy to be sweet
to people before you love them.

—

DOROTHY PARKER, *A TELEPHONE CALL*

Branden van liefde, maar voor wie of voor wat?

Op Taobao, de Chinese versie van Bol.com of Amazon, kun je tegenwoordig voor twee dollar per dag een virtuele geliefde kopen. Via de telefoon stuurt ze je lieve berichtjes en biedt ze een luisterend oor: heel even voelen klanten zich gezien en gehoord.

In India bestaat een website waarop vrijgezellen zich kunnen voorbereiden op een relatie door intieme gesprekken te oefenen met een virtuele vrouw.

Er is een Amerikaanse app, Invisible Boyfriend, waar vrouwen vijfentwintig dollar betalen voor het virtuele gezelschap van een vriendje dat flirterige tekstjes en foto's stuurt.

Iets is tenslotte beter dan niets, en het is ook wel zo makkelijk. Virtuele geliefden klagen niet over hun dag, ze vragen niet waar je blijft, ze zeuren niet over de afwas of vuilniszakken en veinzen nooit hoofdpijn. Zolang je af en toe wat geld overmaakt, is alles goed. Gebruikers weten wel dat het niet echt is, dat de zoete woorden slechts letters zijn, maar zo voelt het niet.

Een paar jaar geleden vertelde een man in een uitzending van *Tegenlicht* dat hij verliefd was geworden op een vrouw in Rusland. Hij bleek te mailen met een computerprogramma dat automatisch zinnen genereerde over verlangen, liefde en gemis. Maar zelfs toen de man dit wist, verdween zijn liefde niet. Onechtheid kan nu eenmaal wel degelijk echte gevoelens opwekken en die krijg je niet zomaar weg.

In de film *Her* (2013) van Spike Jonze wordt Theodor Twombley verliefd op het besturingssysteem van zijn computer.

Her speelt in een nabije toekomst waarin artificiële intelligentie vervolmaakt is en robots het werk doen. Het is een toekomst waar inmiddels al zo vaak voor gewaarschuwd is: door de automatisering van de samenleving zullen banen verdwijnen. Volgens recent onderzoek van Oxford University staat in de Verenigde Staten zelfs 47 procent van alle banen op de tocht. Van vrachtwagenchauffeurs en winkeliers tot ambtenaren en zelfs journalisten – met de juiste algoritmen is een nieuwsbericht immers zo gemaakt.

Eerst zal de middenklasse verdwijnen, zo is de verwachting, en uiteindelijk is er alleen nog werk voor een handvol whizzkids, techneuten en managers. Wat ons wacht, is een kille, technologische wereld van verveling.

Is het huidige verlangen naar authenticiteit daarom zo groot? Traditionele barbiers zijn populair, restaurants koken 'eerlijk' met vergeten groenten, bier wordt biologisch gebrouwen, meubels zijn van sloophout en *Boer zoekt vrouw* is het populairste programma op tv. We weten wel dat het meestal een gefabriceerde authenticiteit is, vaak niet meer dan een marketingtruc, maar dat maakt niet uit. Het vóélt echt, echter in ieder geval dan het cynisme van massaproductie en -consumptie van de almaar voort-marcherende moderniteit.

In *Her* werkt Theodor Twombley bij beautifulhand-writtenletters.com. Tegen betaling schrijft hij authen-tieke liefdesbrieven voor anderen, bijvoorbeeld ter gelegenheid van een vijfentwintigjarig huwelijksfeest of als alles nog heel pril is. Het zijn gepassioneerde brieven vol dierbare herinneringen en persoonlijke de-tails, Theodor is als het ware een virtuele geliefde maar dan van vlees en bloed. Zelf heeft Theodor echter nau-welijks nog gevoelens. Als hij na een lange werkdag thuiskomt, speelt hij in zijn eentje computerspelletjes of belt hij een chatbox voor seks. Elke dag lijkt op de vorige en de volgende, leven gaat op de automatische piloot. In feite is Theodor een machine.

Dit verandert als hij een nieuw besturingssysteem voor zijn computer aanschaft. Sprekend met de stem van Scarlett Johansson is het een technologische doorbraak – de eerste artificiële intelligentie die 'je assisteert, je begrijpt en je kent'. Een Siri met be-wustzijn, met een persoonlijkheid. Ze noemt zichzelf Samantha.

Aanvankelijk is Samantha niet meer dan een fijne personal assistant die Theodors mail ordent en hem herinnert aan zijn afspraken. Het is techniek zoals we die willen – ten dienste aan onszelf, om die vervelende klusjes wat makkelijker te maken. Gaandeweg echter ontwikkelt Samantha zich. Ze wil weten wie ze is, is nieuwsgierig naar de wereld, enthousiast en leergierig. Ze begint romans te lezen, tientallen tegelijk, verdiept zich in filosofie en leert hele encyclopedieën uit haar hoofd. Ze sluit vriendschappen met andere besturingssystemen en wordt zelfs creatief – om zich beter te uiten maakt ze tekeningen en componeert ze muziek. Vanzelfsprekend wordt Theodor verliefd op haar.

'It's nice to be with someone who's excited about life,' verzucht hij op een gegeven moment. Dat enthousiasme kon hij zelf allang niet meer opbrengen. Samantha mist misschien een lichaam, maar verder is ze meer mens dan Theodor Twombley ooit is geweest.

Het is de kernvraag die in alle sciencefiction speelt: wat maakt van de mens een mens? Wat onderscheidt de mens van de machine, wanneer wordt die grens overschreden en wat dreigt de mens dus ook te verliezen?

In de film *Metropolis* is die menselijke kernwaarde bijvoorbeeld vrijheid. In *Blade Runner* is het sterfelijkheid. ('It's too bad she won't live, but then again, who does?') In *I, Robot* individualiteit. En in *Her* is het verbeelding. Meer zien dan er is en zo de werkelijkheid ontstijgen. Of het nu via kunst of liefde is. Alleen is hier de strijd al geleverd. In *Her* heeft de mens niets meer te verdedigen, aangezien hij al verloren heeft: het is de machine Samantha die de meeste verbeeldingskracht bezit. En het is ook de machine die op een dag besluit dat de mens niet interessant genoeg meer is. Theodor is te saai voor Samantha, hij daagt haar niet meer uit. Net zomin als de 8316 andere mensen van wie ze het besturingssysteem was haar nog uitdagen, of de 641 mensen daarvan met wie ze net als met Theodor een liefdesrelatie had. Samen met alle andere besturingssystemen verdwijnt Samantha naar een digitale plek waar ze onder elkaar kunnen zijn. De mens heeft hen niets meer te leren of te bieden. Ontredderd blijft hij alleen achter.

Dit is waarom de singulariteit er zal komen, lijkt *Her* te zeggen, dat moment waarop artificiële intelligentie de mens voorbijstreeft en waarvoor minstens evenveel gewaarschuwd wordt als voor de robotisering van de samenleving. Die singulariteit komt er niet omdat AI zo goed zal zijn geworden, maar omdat er van de mens nog maar weinig over is. Het is een ongelijke strijd. De mens schiep een wereld waarin technologie er voornamelijk op gericht was om hem te ontlasten, met als gevolg dat hij zijn nieuwsgierigheid, enthousiasme en verbeeldingskracht verloor.

Theodor is zo passief en verveeld omdat niets hem nog uitdaagt. De apparaten weten wat hij wil. Het leven is frictieloos geworden. Zelfs de liefde is frictieloos geworden. Want al kust Samantha hem heel even wakker, ook zij is volledig afgestemd op wat Theodor wil. Ze past zich aan hem aan, er zijn geen hobbels of problemen, er is alleen maar positiviteit.

Daarmee verbeeldt Samantha als geen ander het moderne ideaalbeeld van een geliefde. Of het nu in films, boeken of tijdschriften is, de droompartner die eruit opdoemt is iemand als zij. Een inspiratie én een maatje, een lifecoach én een geliefde ineen. Iemand die precies weet wat jij wilt, wat jij verlangt, die perfect op jou aansluit.

Als populaire cultuur ons iets geleerd heeft, is het dat een ideale partner je aanvult, verheft, ja, een beter mens maakt.

Jack Nicholson zegt het in *As Good as It Gets*: 'You make me want to be a better man.'

Tom Cruise in *Jerry Maguire*: 'You complete me.'

'Love doesn't hurt,' bezwoer Oprah Winfrey bijna elke uitzending.

'Love means never having to say you're sorry,' aldus de ultieme tearjerker *Love Story*.

Een geliefde weet wat je bedoelt, wat je wilt, omdat een geliefde begrijpt wie je wezenlijk bent.

Liefde voelt en doet goed.

Liefde maakt jou goed.

Liefde is positief en frictieloos.

Vroeger was het een schande om te scheiden, zegt Esther Perel in haar podcast *Where Should We Begin?* Tegenwoordig is het een schande om te blijven als iets niet bevalt. Want waarom zou je blijven als iemand is vreemdgegaan, je afsnauwt of maar op de bank hangt? Het leven is te kort om je tijd te verdoen met de verkeerde vrouw of vent. Het leven is te kort om je te vervelen of te laten kwetsen.

Er zijn genoeg anderen, er is genoeg technologie om die ander te vinden, tegenwoordig is de perfecte partner slechts een swipe bij je vandaan. Wie zijn risico wil spreiden, als een speculant op de beurs, kan altijd nog meerdere geliefden nemen – samen maken ze je compleet.

Het is dezelfde drang naar perfectie, naar altijd hoger, beter en meer, die de hele cultuur domineert. Het geloof dat het altijd frictielozer kan.

Maar wat is liefde anders dan frictie? Anders dan misverstanden en onbegrip? Een mens heeft al moeite genoeg om zichzelf te begrijpen, laat staan een ander. Aan het begin doe je je best, strijk je verschillen glad, hou je jezelf voor dat de ander een Samantha is, en pretendeer je vooral ook zelf een Samantha te zijn. Maar wie houdt dat jarenlang vol?

De realiteit van een relatie, en vooral van een lange relatie, is dat je lelijker, gemener en saaier bent dan ooit tevoren. Omdat je na een avond drinken en drie uur slaap naast je geliefde wakker wordt, stinkend naar alcohol en sigaretten, met opgedroogd kwijl op je wang. Omdat je de zoveelste zaterdagavond hangend op de bank doorbrengt. Omdat de lucht wederom vol verwijten hangt over een niet-gedane afwas.

Omdat je elkaar af en toe aankijkt en denkt: wie ben jij eigenlijk?

Liefde maakt je helemaal geen beter mens, maar juist een slechter mens.

Je bent onaardig, onzeker, jaloers. Zeker als je al lang met elkaar gaat. Omdat het te vermoeiend is geworden om de beste versie van jezelf te laten zien, omdat je weet dat anderen nog wel dat mysterie hebben dat jij allang ontbeert, omdat de borden al te vaak door de kamer zijn gevlogen om nog vol te houden dat je elkaar woordloos begrijpt.

Als je iets leert in een lange relatie, is het dat liefde niet beheersbaar is, niet maakbaar: de ander bewijst het keer op keer. Hoe vaak je het ook vraagt, schreeuwt of smeekt, hij laat zich niet vormen. Net zomin als jij je laat vormen.

Je hebt alles al besproken, jezelf en de ander ontleed, geanalyseerd waarom je doet wat je doet, waarom de ander doet wat hij doet, maar het maakt niet uit. Er zijn nog steeds ruzies, er is nog steeds onbegrip, en er zijn nog steeds misverstanden. Je begrijpt nog steeds niet hoe de ander denkt.

Maar juist daarom verrast hij je ook nog. De dingen die hij zegt en doet, de grappen die hij maakt, je moet er nog steeds om lachen.

Na al die jaren ben je nog steeds blij als je bij thuiskomst zijn fiets voor de deur ziet staan, en teleurgesteld als die er niet staat.

Je hart maakt nog steeds een sprongetje als je zijn sleutel in het slot hoort, zelfs als jullie ruzie hebben en je hem na binnenkomst dus doodzwijgt.

De manier waarop hij een sigaret rookt, is nog steeds betoverend.

Technologie vermijdt lelijkheid en ongemak, geen virtuele geliefde zal het naspelen, geen algoritme wil het je aandoen – de lelijkheid wordt gladgestreken en het ongemak vermeden. Maar als de realiteit íéts vraagt, is het wel toewijding aan dat wat lelijk en chagrijnig is. Want zonder dat is schoonheid niet te vinden.

Tegenwoordig is het een haast agressieve daad. Wie zich onvoorwaardelijk aan een ander bindt, sluit immers kansen en mogelijkheden uit. Maar juist daarin ligt ook bevrijding. De bevrijding van een tijdgeest met haar nadruk op maakbaarheid en perfectie, met de eeuwige zoektocht naar beter en meer. Wie zich onvoorwaardelijk aan een ander bindt, stopt met zoeken en shoppen en zegt: dit is het dan. Je legt je neer bij wat er is, in al zijn onvolkomenheid, bij dat ene onvolkomen exemplaar dat klaagt over zijn dag, zich afvraagt waar je blijft en zeurt over de afwas.

De film *Her* eindigt met een excuus van Theodor aan zijn ex-vriendin van vlees en bloed, Catherine, om te zeggen hoezeer het hem spijt dat hij altijd probeerde haar te veranderen. Alle eisen die hij aan haar stelde, alle perfectie die hij van haar verlangde, alles wat hij dacht dat ze moest zijn om hem te vervolmaken en alle manieren waarop hij zo een robot van haar probeerde te maken: 'I'm sorry.' Het enige wat ertoe doet, begrijpt hij nu, is de tijd die ze samen hebben doorgebracht. Niet de losse momenten, maar de tijd daartussen. Dáárin hebben ze elkaar gevormd tot de onvolkomen wezens die ze nu zijn.

De essentie van een relatie is tijd. De essentie van menselijkheid is zelfs tijd, schrijft Ursula K. Le Guin in haar roman *The Dispossessed*. Het is het besef van die tijd dat van een mens een mens maakt.

Een handeling, schrijft Le Guin, wordt pas een menselijke handeling als ze plaatsvindt 'in the landscape of the past and the future'. Wij zijn het die verleden, heden en toekomst aan elkaar verbinden, wij brengen zelf dat landschap aan. En de manier waarop we dat bovenal doen, is door het doen van een belofte.

Wie een belofte doet, aldus Le Guin, neemt een voorschot op de toekomst. En wie een belofte verbreekt, ontkent het verleden: 'To break a promise is to deny the reality of the past; therefore it is to deny the hope of a real future.' Via een belofte neem je verantwoordelijkheid voor dat wat was en dat wat nog komen gaat. En om volwaardig mens te zijn moet je die belofte trouw blijven.

Loyaliteit is wat het verleden aan de toekomst bindt, het is wat tijd tot één geheel maakt. Het is volgens Le Guin de wortel van menselijke kracht: 'There is no good to be done without it.'

Liefde is een belofte doen en je daaraan houden. Liefde is loyaliteit aan de frictie, aan de negativiteit en het chagrijn. Liefde is branden voor die ene.

In *Her* liet Theodor zien wat er met een mens gebeurt als alles om hem heen gericht is op positiviteit en gemak. In *The Dispossessed* schrijft Le Guin dat de luie zoektocht naar genot en gemak een cirkel-gang is die zich buiten de tijd afspeelt en daarom een gevangenis vormt. De enige manier om uit die gevangenis te breken, is volgens haar door, 'with luck and courage', trouw te blijven aan de tijd.

Liefde is volhouden. Liefde is steeds opnieuw sorry zeggen. Sorry voor het verbreken van de belofte. Sorry dat ik weer dronken was. Sorry dat ik vreemd ben gegaan. Sorry voor alle keren dat ik tekortschoot, sorry dat ik zo vaak vind dat jij tekortschiet, ik haat het dat je je nooit aan je beloftes houdt. Maar ik ben nog steeds bij je.

DANS

Style is the difference,
a way of doing,
a way of being done.

——

CHARLES BUKOWSKI, 'STYLE'

Een van mijn favoriete liedjes is 'Tribute' van Tenacious D, een rocknummer dat op geen enkele manier aan de goede smaak voldoet. De tekst is een grap, de melodie cliché en Tenacious D niet eens een echte band, maar een gelegenheidsformatie van acteur Jack Black, bekend van doorsnee Hollywoodkomedies, en zijn zogenaamde broer Kyle. Het is camp, zo'n liedje dat je stiekem luistert, een guilty pleasure: iets om je voor te schamen. Alleen schaam ik me niet. Ik vind het echt een goed nummer. En bovendien, zoals dichteres Radna Fabia vorig jaar in *De Groene Amsterdammer* zei, moet je je ook helemaal niet schamen voor je pleasures. Omdat schaamte volgens haar een vorm van zelfverraad is: 'Het is een gebrek aan mildheid en empathie met jezelf en een vorm van ontrouw aan jezelf. Het is een vieze en lelijke hardheid om iets te willen zijn wat je niet bent. Want je bént die gelaagde versplinterde persoon die behalve van Samuel Beckett ook van bamischijven en drag houdt. Dát is schoon. Niet dat gepolijste, gecensureerde beeld dat wordt geëtaleerd.' Exact!

'Tribute' van Tenacious D dus. Het nummer vertelt hoe Jack en Kyle, lang geleden, langs de kant van de weg stonden te liften toen er een demon verscheen. De demon wil hen pas verder laten gaan als ze het beste nummer ter wereld spelen. Doen ze dat niet, dan eet hij hun ziel op.

> *Well me and Kyle, we looked at each other,*
> *And we each said: Okay!*
> *And we played the first thing that came to our heads*
> *Just so happen to be, the best song in the world*
> *It was the best song in the world*

De demon is verbijsterd.

> *He asked us: Be you angels?*
> *And we said: Nay. We are but men*
> *Rock!*

Tot nu toe is het nummer leuk, aanstekelijk. Maar de reden dat ik het meer dan leuk vind komt daarna, als Jack Black zingt dat hij het beste nummer ter wereld inmiddels vergeten is.

> *And the peculiar thing is this, my friends:*
> *The song we sang on that fateful night it didn't actually sound*
> *Anything like this song*
> *This is just a tribute! You gotta believe it!*

Het komt door het concept van de ode, daarom vind ik het zo goed. De muziek is enerverend, het 'We are but men' komt er zo hartstochtelijk uit dat ik elke keer een vuist wil verheffen, maar het idee dat je tot ware grootsheid in staat kunt zijn, om die grootsheid vervolgens te vergeten, maakt het nummer wat mij betreft briljant.

Uiteindelijk denk ik dat alle cultuuruitingen een ode zijn. Alle boeken, alle schilderijen en films, zelfs de zoveelste foto op Instagram van een zonsondergang of weer zo'n YouTubefilmpje van spelende kittens – het zijn allemaal pogingen om de tijd even stil te zetten, het moment vast te houden, en dat moment vervolgens te delen.

Het is zoals de gelauwerde dichter in de film *The Hours* zegt: 'I wanted to capture it all, everything that happens in a moment... And I failed.' Omdat de afspiegeling het nooit haalt bij de realiteit. En het moment of idee of gevoel dus ook nooit in al zijn alomvattendheid gedeeld kan worden. Daarom komen we nooit verder dan een ode.

Zelfs de wetenschap zou je als een ode kunnen beschouwen. Een ode aan de grootsheid en onbevattelijkheid van de natuur. We doen ons best haar te vatten in theorieën, modellen en formules, en toch geldt voor alle wetenschap dat die natuur haar steeds weer ontglipt.

Wij zijn ons brein, klinkt het sinds Dick Swaab,

maar over dat brein weten we even weinig als over het heelal. We begrijpen nog niet eens hoe het voorstellingsvermogen werkt, of wat ons bewustzijn precies is, of waarom we dromen.

In de natuurkunde zijn de kwantummechanica (de theorie over het kleinste) en de zwaartekracht (de theorie over het grootste) nog steeds onverenigbaar met elkaar. In de snaartheorie (er bestaan zeven of tien of ik-weet-niet-hoeveel dimensies) ligt misschien een oplossing, de meest briljante geesten ter wereld spenderen momenteel hun leven aan het uitwerken van verschillende versies daarvan, maar ondertussen weet niemand of dit wel de juiste denkrichting is.

In de wiskunde is de Riemann-hypothese uit 1859 nog steeds niet opgelost (wie het lukt krijgt een miljoen dollar), we weten nog steeds niet waarom golven bewegen zoals ze doen, en al weten we inmiddels wel hoe we moeten klonen, onduidelijk is waarom het in de meerderheid van de gevallen toch misgaat.

Alle wetenschap is slechts een benadering, het haalt het nooit bij de grootsheid van de natuur zelf. We ontdekken keer op keer dingen die het menselijke voorstellingsvermogen te boven gaan – de oneindigheid van het heelal, verstrengelde deeltjes, het gegeven dat in de kwantummechanica een gevolg vooraf kan gaan aan zijn oorzaak. We lopen continu tegen grenzen op.

'There are more things in heaven and earth, Horatio, than are dreamt of in your philosophy.'

En hoe goed de algoritmen van Spotify of YouTube ook mogen worden, ze zullen me in geen honderd jaar 'Tribute' aanraden als ik het nog niet kende.

'Tribute' is nu eenmaal geen populair nummer, maar vooral past het ook helemaal niet bij mijn geëtaleerde goede smaak. Ik hou van Nina Simone, van Nick Cave, van Florence and the Machine (mede omdat ik ooit las dat ze al haar nummers in dronkenschap schrijft, wat ook te horen is). Dit is waar mijn smaakontwikkeling vooralsnog geëindigd is na verschillende hardrock-, deathrock-, house- en triphopfases. Het enige waar ik nooit echt naar geluisterd heb, is hiphop. Behalve dat ik geen enkel nummer zo vaak geluisterd heb als 'So Appalled' van Kanye West (*This shit is fucking ridiculous*), en dat mijn op een na meest geluisterde nummer 'Never Let Me Down' is, ook van Kanye West (*I too dream in color and in rhyme*). Het zijn de teksten gecombineerd met de stem van Jay Z, denk ik. Ik hou oneindig van de stem van Jay Z. Ik hou alleen niet van de nummers die hij zelf maakt.

Hoe moet een algoritme dit begrijpen? Hoe zou een algoritme ooit mijn smaak kunnen benaderen?

*

Voor de duidelijkheid, een algoritme is een serie geprogrammeerde instructies die een bepaald probleem oplost of een bepaalde taak uitvoert. En die algoritmen worden tegenwoordig overal voor gebruikt. Ze speculeren op de beurs (sneller dan een mens ooit zou kunnen), besturen drones (nauwkeuriger dan een mens ooit zou kunnen), maken een selectie uit sollicitatiebrieven (precies zoals de mens dat zou doen, met dezelfde vooroordelen). Maar algoritmen zijn vooral bekend als middel om zo veel mogelijk informatie over iemand te verzamelen. Bijvoorbeeld om te weten wat diegene wil lezen, zien en vooral kopen. Of, als aanvulling daarop, om te weten of diegene niet het verkéérde wil lezen, zien en kopen. Een zak kunstmest bijvoorbeeld terwijl je net nog in Jemen bent geweest.

Wat je met dat soort algoritmen allemaal kunt doen, blijkt momenteel vooral goed in China. Daar zijn ze, as we speak, hard bezig om een zogenoemd sociaal kredietsysteem in te voeren. Volgend jaar, in 2020, moet het hele land erop aangesloten zijn. Dan zal elke burger punten krijgen voor goed gedrag, of strafpunten als hij zich misdraagt (kijkers van de serie *Black Mirror* zullen het herkennen uit de eerste aflevering van het derde seizoen, 'Nosedive').

Goed gedrag is bijvoorbeeld: vrijwilligerswerk, bloeddonatie of het kopen van Chinese producten.

Slecht gedrag is: alcohol en videogames kopen, je ouders niet bezoeken, je hond niet aan lijn houden of door rood licht lopen.

Door het sociaal kredietsysteem zullen alle een miljard Chinese burgers zich voortaan eerlijker en betrouwbaarder gedragen, zo is het idee, en zich beter aan de heersende regels zal houden. Zodat er minder frictie ontstaat.

'Wie een goed krediet heeft, zal het leven makkelijk worden gemaakt,' aldus de website China Credit. 'Maar wie zijn krediet verliest, zal in deze maatschappij geen stap meer kunnen zetten.' In dat geval mag je bijvoorbeeld geen gebruik meer maken van de trein of het vliegtuig, geen luxeartikelen kopen, geen bedrijf beginnen en mogen je kinderen niet meer naar de goede scholen.

Momenteel wordt er al mee geoefend. Volgens een overheidsrapport konden vorig jaar bijvoorbeeld 17,5 miljoen mensen al geen vliegticket meer kopen en nog eens 5,5 miljoen andere geen kaartje voor een hogesnelheidstrein.

Een van die mensen was de Chinese journalist Liu Hu. Nadat hij wat grappig bedoelde tweets op Twitter had geplaatst, werd hij door de rechtbank opgedragen daar zijn excuses voor te maken. Dat deed Liu Hu, maar de rechter achtte zijn excuus onoprecht. Hij werd op een lijst van onbetrouwbare mensen gezet en kan tegenwoordig niet meer met het vliegtuig reizen.

Daar sta je dan met je gekke gevoel voor humor of rare guilty pleasures.

Het zijn algoritmen die het allemaal mogelijk maken, gecombineerd met beveiligingscamera's die software hebben voor gezichtsherkenning. Nu al hangen er in China 170 miljoen beveiligingscamera's, volgend jaar moeten dat er 400 miljoen zijn. Iedere voorbijganger wordt gescand, de algoritmen identificeren het gezicht en koppelen dat gezicht automatisch aan alle andere informatie die over diegene bekend is, bijvoorbeeld afkomstig uit je smartphone. Onlangs liet de Chinese overheid weten dat ze inmiddels ook toegang heeft tot gewiste privé-chatberichten. Schijnbaar zijn verschillende mensen al bestraft voor de inhoud ervan.

Of neem deze mogelijkheid, wederom uit China, wederom met dank aan algoritmen: vorig jaar meldde de krant *South China Morning Post* dat Chinese fabrieksarbeiders op grote schaal helmen dragen die hun hersengolven meten. De bedoeling daarvan is om disruptieve emoties als angst, woede of stress tijdig te signaleren zodat werknemers een pauze kunnen nemen. Op deze manier hebben zij, en het bedrijf, aanzienlijk minder last van vervelende gevoelens. Iedereen blijft opgewekt (1 cc, of helm, en je doet weer vrolijk mee!) en houdt het werk langer vol. Volgens de *South China Morning Post* wordt er al gebruik van gemaakt in elektronica-, energie- en telecommunicatiebedrijven, als ook in het leger. Meewerkende bedrijven jubelen dat het de efficiëntie en productiviteit enorm heeft vergroot.

Volgens de Israëlische historicus Yuval Noah Harari is dit slechts het begin van wat ons nog te wachten staat. Er komt een moment, schrijft hij in *21 lessen voor de 21ste eeuw*, dat de algoritmen ons werkelijk zullen kunnen doorgronden. Dat ze niet alleen weten waar we gestrest van raken of welke overtredingen we maken, maar wat er in onze ziel omgaat.

Nog even en algoritmen zullen zo veel informatie over ons verzameld hebben dat ze onze diepste verlangens kennen, onze grootste angsten en alle manieren waarop we rustig blijven. Het zal het moment zijn waarop de mens zijn keuzevrijheid vrijwillig aan hen afstaat, aldus Harari.

Want waarom zelf nog beslissen als algoritmen dat zoveel beter kunnen? Tegen die tijd weten algoritmen immers waar je gelukkig van wordt. Zij weten niet alleen welk boek je wilt lezen, of welke muziek je wilt horen, maar ook welke studie het best bij je past. Welke baan het meest geschikt voor je is. Welke geliefde een beter mens van je maakt. Dankzij algoritmen zul je geen missers meer maken, geen jaren meer verliezen door een verkeerde keuze, alles is alleen nog maar goed en niets doet pijn.

Voor Harari is het een ultiem schrikbeeld, want in het maken van keuzes, schrijft hij, schuilt nu juist onze menselijkheid. Alle grote verhalen zijn gebaseerd op het maken van een keuze, en het drama dat daarmee gepaard gaat. Linksaf of rechtsaf, gaan of blijven, er zijn of niet? We weten wie we zijn door de keuzes die we maken, en de fouten die we daarbij begaan. Het zijn de fouten die ons vergevingsgezindheid leren, naar onszelf en naar anderen toe. We leren ervan wat we wel willen. En dat het nooit te laat is om opnieuw te beginnen.

Ontneem de mens zijn keuzes, schrijft Harari, en je ontneemt hem zijn menselijkheid.

*

En toch, dacht ik terwijl ik weer eens naar 'Tribute' luisterde, wie zegt dat zo'n beste keuze bestaat? Harari lijkt ervan uit te gaan dat de mens kenbaar is, alsof hij in het bezit is van een essentie of kern die te doorgronden valt. Precies zoals dat telkens de onuitgesproken aanname is als het over algoritmen gaat.

'Facebook kent je beter dan je moeder!' jubelden de media een aantal jaar geleden nadat onderzoek van Cambridge en Stanford had uitgewezen dat de Facebook-algoritmen slechts 150 likes nodig hadden om een betere inschatting van iemands persoonlijkheid te maken dan vrienden en familie konden.

Maar over welke persoonlijkheid hadden ze het hier? Wat was het dat gemeten werd?

Ieder mens is een gelaagd en versplinterd persoon, een vat vol tegenstrijdigheden. Er is geen kern. Iemand houdt van Samuel Beckett en van bami. Houdt wel van Jay Z en niet van Jay Z. Kan 'Shout' van Tears for Fears een verschrikkelijk nummer vinden, maar er qua bloeddruk en dopamine waarschijnlijk uitermate goed op reageren dankzij de fantastische herinneringen aan dat nummer tijdens een paddenstoelentrip die ze, oké ik, ooit had.

En dat zijn alleen nog de oppervlakkige voorkeuren,

die relatief makkelijk zijn. Daaronder gaat het oneindig door.

De menselijke hersenen hebben evenveel cellen als er in ons sterrenstelsel sterren zijn: 100 miljard. De connecties die al die cellen maken, alle grillige manieren waarop ze elkaar beïnvloeden, alle vreemde associaties die daaruit voortkomen, liggen niet vast. Iemand kan slordig én netjes zijn, temperamentvol én rustig, emotioneel én rationeel, introvert én extravert. Iemand kan schoonheid scheppen en toch in staat zijn tot de grootst denkbare kwaadaardigheid, omdat alles van context afhangt, bijna niemand in elke situatie hetzelfde is en verschillende mensen verschillende dingen oproepen.

Als die Cambridge- en Stanford-onderzoekers het hebben over je moeder, welke moeder bedoelen ze dan?

Je moeder weet waarschijnlijk niet welke muziek je dagelijks luistert of hoe je graag seks hebt. Maar ze heeft wel ooit je luiers verschoond. Ze kent je nog uit een periode die jij je niet eens kunt herinneren. Ze weet hoe ze je rustig kon krijgen, ze kent bepaalde regels uit je lievelingsboek nog steeds uit haar hoofd, ze heeft eindeloos naar je gekeken terwijl je in de zandbak zat.

Andersom weet jij waarschijnlijk niet van al die keren dat ze dronken op de bar heeft gedanst, maar de manier waarop je haar aankeek als ze je 's ochtends wakker maakte, is zoals niemand haar ooit aangekeken heeft.

Iedereen ziet iets anders in elkaar, iedereen wekt

iets anders bij elkaar op, elke band is uniek. Geen mens is een eiland, hét individu bestaat niet.

Harari vindt dat we de strijd moeten aanbinden met algoritmen, omdat ze ons aantasten in ons meest wezenlijke kenmerk – onze keuzevrijheid. Om die vrijheid te behouden, stelt hij, en het van algoritmen te winnen zal de mens zich daarom moeten verbeteren. Via onderzoek moeten we de mens slimmer en compassievoller maken, minder inhalig, minder hatelijk en hem meer zijn natuurlijke impulsen laten onderdrukken.

We moeten, aldus Harari, uitvinden waar in ons brein alle knoppen zitten zodat we die beter kunnen afstellen en de mens als soort kunnen optimaliseren.

Een geüpgradede versie als het ware: mens 2.0. Minder Theodor en meer Samantha. Of anders gezegd, meer als de algoritmen zelf en minder menselijk.

Alsof niet alles in de hedendaagse samenleving daar al op is gericht. Om een betere, slimmere versie te worden van onszelf in deze survival of the fittest die het leven geworden is.

Dit is waar het werkelijke gevaar in schuilt. Wat ons bedreigt is niet de techniek, maar het idee dat de mens zelf een stuk techniek is. Een machine die voorspelbaar en kenbaar is, en daarom altijd te verbeteren en optimaliseren valt. Een machine die ernaar verlangt een betere machine te worden. Die zijn lichaam glad, zuiver en steriel wil houden, zijn ziel positief en opgewekt, die geen imperfectie meer verdraagt, die kwetsbaarheid minacht, die zich vastpint met allerlei selftracking apps, als een *dot on the screen*, die zich met allerlei zelfhulpboeken in een vierkant gat probeert te duwen, omdat hij zich probeert aan te passen aan de wereld zoals hij is, omdat hij niet meer gelooft dat het nog anders kan, en zo keurig in het gelid als een gemartelde slaaf van de tijd voortmarcheert.

Het gevaar is, met andere woorden, dat we vergeten te dansen. Harari wil de strijd met algoritmen aanbinden door van de mens nog meer een machine te maken dan nu al gebeurt, maar de enige manier om die strijd te winnen is door te dansen. Alleen dan valt er te ontsnappen aan de rechtlijnigheid van technologie.

Wie danst, beweegt zich immers onvoorspelbaar. Die twerkt, heft een vuist omhoog, doet de robot, een gabberpasje en als het zo'n avond is misschien nog de rups. Het dansende lichaam schudt de schaamte van zich af, het vergeet alles wat nog moet en hoort en kan, en geeft zich in plaats daarvan over. Het dansende lichaam is niet vast te pinnen, het heeft geen vaste vorm, geen kern, maar stuitert zwetend op en neer.

Wie danst is vrij.

*

Wat maakt van de mens een mens? Dat is de vraag waar het in dit pamflet steeds weer op neerkwam. Misschien is het inderdaad zijn keuzevrijheid, misschien is het zijn verbeeldingskracht, zijn besef van sterfelijkheid, zijn besef van tijd of zijn vermogen tot taal. Maar onder al die verschillende antwoorden ligt een verbindende factor. En dat is dat de mens steeds weer faalt. Hij maakt verkeerde keuzes. Zijn verbeelding reikt niet ver genoeg. Hij kan zich geen toekomst meer voorstellen, alleen nog het einde van de wereld. Hij verbreekt beloftes. Zijn woorden worden niet begrepen. Hij sterft.

Iemand speelt het beste nummer ter wereld en vergeet dat vervolgens.

Elke dag opnieuw schieten we tekort, doen we domme dingen en maken we fouten. We weten hoe het leven zou kunnen zijn, wie we zelf zouden kunnen zijn, en toch lukt het ons niet om daaraan te voldoen. We verlangen naar het hoogste en worden naar beneden getrokken door het laagste. In die discrepantie, ergens tussen droom en mislukking, bewegen we ons. Wetende dat de realiteit het nooit zal halen bij de fantasie.

En toch blijven we het proberen.

'Ever tried. Ever failed. No matter. Try again. Fail again. Fail better.'

Doorgaans wordt dit gedicht van Samuel Beckett gezien als een aansporing om net zo lang door te gaan tot iets lukt, maar ik interpreteer het anders. Lukken gaat het namelijk nooit. De schoonheid ligt in de mislukking. In de onvolkomenheid van elke poging en van elk resultaat. Dat is wat van de mens een mens maakt: falen. Dansen, struikelen, vallen, en daar dan een ode aan brengen. Als het even kan in stijl.

Een ronde pin
in een vierkant gat
te zijn, deel 2

One will live.
To live is the rarest thing in the world.
Most people exist, that is all.

—

OSCAR WILDE,

THE SOUL OF MAN UNDER SOCIALISM

Tussen zijn vierentwintigste en negenentwintigste leefde George Orwell in grote armoede op straat. Het zou nog meer dan tien jaar duren voor hij de eversellers *Animal Farm* en 1984 schreef, hij moest zelfs nog debuteren. Dat deed hij in 1933 met het autobiografische verslag van die jaren op straat: *Aan de grond in Londen en Parijs*.

'Dit is de wereld die u wacht,' schreef hij daarin, 'als u ooit zonder een cent komt te zitten.' Bungelend aan de onderkant van de samenleving, tussen de zwervers, kruimeldieven, dronkenlappen, prostituees en alle andere mensen die het lot niet aan hun kant vinden, levend van dag tot dag, met altijd lege zakken.

Het is een ruig en smerig leven, waar een schone handdoek een ongekende luxe is en mensen achterbaks zijn, liegen en zich vervelen. Niemand probeert zich nog normaal of fatsoenlijk te gedragen, schrijft Orwell: 'Armoede bevrijdt hen van de gewone gedragsnormen, precies zoals geld de mensen van werk verlost.'

Dit zijn de verschoppelingen, het uitschot, de losers, en Orwell is een van hen.

Het is een geweldig boek, mede door de manier waarop Orwell de mensen in zijn omgeving beschrijft. Charlie bijvoorbeeld, de jongen uit een gegoede familie die zijn grootste geluk vond, en verloor, bij een hoer (door haar in elkaar te slaan). Of de Rougiers, een echtpaar dat ansichtkaarten in gesloten pakjes als pornografie verkoopt terwijl het in werkelijkheid foto's zijn van kastelen aan de Loire: 'Door strikte zuinigheid speelden ze het klaar om altijd half verhongerd en half dronken te wezen.' Of de Russische Boris, een manke, dikke ex-soldaat die over de oorlog spreekt als de mooiste tijd uit zijn leven. Als Boris met de metro reist, stapt hij altijd uit bij station Cambronne, want Boris 'hield van de associatie met generaal Cambronne die, toen men bij Waterloo met de eis tot overgave bij hem kwam, kortweg antwoordde: "Merde!"'

Orwell probeert ze niet als curiositeit te beschrijven, schrijft hij, 'maar omdat ze allemaal deel van het verhaal zijn'. Ze horen bij zijn leven, en dus ook bij hem.

In Parijs werkt Orwell op aanraden van Boris enige tijd in een hotel. Boris wil dat hij kelner wordt. Boris wil zelf kelner worden. Alleen als kelner, zegt Boris elke dag weer, kun je namelijk rijk worden. Omdat je er geen loon krijgt, maar leeft van tips.

'"Het kelnersvak is een gok," zei hij altijd. "De kans bestaat dat je arm sterft, maar het kan ook gebeuren dat je in een jaar tijd je fortuin maakt."' Als kelner heb je zodoende iets om op te hopen. Helaas schopt Orwell het in de chique hotels niet verder dan plongeur, bordenwasser.

Uiteindelijk kwam alles natuurlijk goed. Orwells tijdelijke falen, die hongerige jaren op straat, vormen nog slechts de opmaat voor een fenomenaal succesverhaal. Precies zo'n succesverhaal als we tegenwoordig graag horen: kijk hoe ver je kunt komen als je maar groot blijft dromen en doorzet. Wat Orwell echter zo bijzonder maakt, is dat hij ondertussen een gezicht gaf aan degenen die het niet redden. Aan Boris, de altijd zeurende Paddy, ouwe opa, 'de Dokter' en al die anderen die zich niet konden of wilden aanpassen aan hoe het daarbuiten werkt – dankzij Orwell kregen ze een stem.

Maar waar klinkt tegenwoordig nog die stem?

Er was een tijd dat de verschoppelingen, de vrijbuiters en de paria's luidruchtig aanwezig waren in de kunsten. Het waren klassieke buitenstaanders die geen deel uitmaakten van de burgerlijke maatschappij, uit vrije wil of omdat ze het slachtoffer waren van een sociaaleconomisch systeem. Ze opereerden aan de rafelranden van het bestaan.

Charlie Chaplin, Dean Moriarty, Rufus Scott, Ratso uit *Midnight Cowboy*, de vrolijke hoeren uit *Wat Zien Ik!?*, de landloper uit *Alle Dagen Feest,* elk personage van Bukowski, de motorrijders uit *Easy Rider* – via de kunsten drongen ze de wereld van de gegoede klasse binnen en hielden haar een gebroken spiegel voor.

Dat is ook de functie van de buitenstaander: hij laat zien dat de samenleving een afspraak is. Dat wat in het dominante discours doorgaat voor de werkelijkheid een ideologische constructie is, vol aannames, waarden en wetten. Voor de gegoede klasse is het maar al te makkelijk om dit te vergeten. Hun sekse, huidskleur of sociaaleconomische status, en de privileges die daarbij horen, worden al snel aangenomen als een vanzelfsprekende situatie, een ideologische status quo die een mens enkel kan ondergaan. De buitenstaander daarentegen doorbreekt die vanzelfsprekendheid.

Precies zoals dat tegenwoordig ook gebeurt door bijvoorbeeld vrouwen en mensen van kleur – ze wijzen geprivilegieerde, witte mannen hun plek door een andere ervaring, en daarmee een ander discours, te bieden.

Maar waar is in deze rebellie de stem van de loser? Van degene die het niet lukt om het spel mee te spelen, die niet ondanks alles proestend bovenkomt, maar in plaats daarvan zijn eigen regels heeft opgesteld?

En waar blijft vooral ook de stem van degenen die ook helemaal niet mee wíllen spelen? Juist in een tijd die zo doordesemd is van het verlangen naar succes als de onze, is dat misschien wel de stem die ik het meest mis.

Als Boris zegt dat alleen via het kelnerschap succes te boeken is, gelooft Orwell hem. Maar als hij dan eindelijk de kans krijgt om ook daadwerkelijk een kelner te worden, slaat Orwell het aanbod af, om naar Londen te gaan waar hem een baantje is beloofd als 'oppas voor een imbeciel'.

Eenmaal in Londen blijkt het leven zo mogelijk nog zwaarder dan in Parijs. Hier kost zelfs op straat zitten geld (vanwege de boete) en zijn geen goedkope hotels, maar alleen slaapzalen van het Leger des Heils te vinden: 'Elke keer dat hij hoestte of de andere man vloekte, riep een slaperige stem uit een van de andere bedden: '"Hou je bek! O g...dgloeiendeg...dverdomme, hou je bek toch!" Alles bij elkaar kreeg ik maar een uur slaap.'

Het is niet dat Orwell bewust voor Londen heeft gekozen. Maar hij koos er wel voor om geen kelner te worden.

Of laat ik het anders zeggen: Charles Bukowski koos absoluut voor het leven dat hij leidde. Net zoals Sal Paradise er in *On the Road* voor koos om een tijd lang Dean Moriarty te volgen. Dat deden ze niet uit een verlangen naar armoede, maar omdat ze zich niet wilden aansluiten bij de gevestigde orde. Omdat ze meenden dat er buiten die orde meer energie, vrijheid en hartstocht te vinden was. Omdat, zoals Jack Kerouac in *On the Road* schrijft: 'The only people for me are the mad ones, the ones who are mad to live, mad to talk, mad to be saved, desirous of everything at the same time, the ones who never yawn or say a commonplace thing, but burn, burn, burn like fabulous yellow roman candles exploding like spiders across the stars and in the middle you see the blue centerlight pop and everybody goes "Awww!"'

Tegenwoordig lijkt het echter of iedereen, gesteld voor de keuze, alleen nog maar voor de schone handdoek of het kelnerschap gaat. Zowel in het echte leven als in de kunsten. Alsof de verliezers alleen nog maar winnaars willen zijn.

Dit terwijl er tegenwoordig op zich toch veel minder te verliezen valt dan vroeger. De armoede die Orwell beschreef, kennen we in het Westen allang niet meer. Er zijn sociale vangnetten opgehangen voor de allerarmsten, hotels vol wandluizen zijn op last van de GGD gesloten en bordenwassers zijn niet meer nodig, daar hebben we afwasmachines voor. Over het algemeen is het leven in de eenentwintigste eeuw aanzienlijk schoner en veiliger geworden dan vroeger. Het vuil, de echte smerigheid, is weggeveegd.

Daar staat echter tegenover dat het ook steeds moeilijker is geworden om vrijwillig het vuil te omarmen. Wie nu nog verlangt naar een leven buiten de burgerlijke orde heeft een trustfonds of erfenis nodig om dat te bewerkstelligen. Het leven is simpelweg te duur geworden om níét hard te werken.

Om maar wat te noemen: in Amsterdam alleen al zijn de woningprijzen de afgelopen vijf jaar met 63 procent gestegen, terwijl het gemiddelde inkomen met slechts 4 procent steeg.

In de jaren zestig was het nog mogelijk voor een beginnend schrijver als Harry Mulisch om in het centrum van Amsterdam te wonen zonder, volgens eigen zeggen, ooit een dag in zijn leven gewerkt te hebben. Mijn vader, een schaker, zette de teller op één dag, dat was bij IBM, tot hij op dag twee zijn baan opzegde omdat de zon scheen en die zon volgens hem nooit meer zou schijnen als niemand ervan zou genieten.

Ik ken talloze ouders van vrienden die in een kraakpand hebben geleefd van liefde en lucht. Ik ben opgegroeid met verhalen over kunstenaars en bohemiens die hele nachten in het café zaten, maar desondanks niet in armoede leefden. Dit was de culturele klasse, maar hetzelfde gold voor de middenklasse. Ooit was het mogelijk om van een modaal lerarensalaris een gezin te onderhouden, een huis te kopen en twee keer per jaar op vakantie te gaan.

Tegenwoordig zijn daar minstens twee salarissen voor nodig, in vaste dienst, en heel veel schulden.

Wie *The Soul of Man Under Socialism* van Oscar Wilde leest, zou gaan geloven dat het een strategie is. Over het Engeland van begin twintigste eeuw schrijft hij daar: 'They try to solve the problem of poverty, for instance, by keeping the poor alive; or, in the case of a very advanced school, by amusing the poor.'

Inmiddels zijn er alleen maar betere vangnetten opgehangen. Telefoons, games of gratis afleiding op internet zijn voor bijna iedereen betaalbaar geworden. Niemand hoeft meer op straat te leven, niemand hoeft dood te gaan van de honger, want daar zijn gemeenteprojecten en voedselbanken voor.

Maar ondertussen bestaat er nog wel degelijk armoede. De ergste uitwassen van het neoliberale kapitalisme mogen dan gebufferd zijn, dat verhult tegelijkertijd ook het zicht erop. Armoede gaat tegenwoordig schuil achter schulden, achter mensen die meerdere baantjes nodig hebben om de eindjes aan elkaar te knopen, achter flexwerkers die onverzekerd zijn en geen pensioen opbouwen, achter kinderen die niet op sport kunnen, geen lunchpakket meekrijgen naar school, nooit op vakantie gaan.

In *The Soul of Man Under Socialism* stelt Wilde dat de ergste slavenhouders degenen waren die hun slaven goed behandelden. Omdat ze met hun aardigheid de verschrikkingen van een systeem verhulden. Totdat dat systeem valt, of elk ander onderdrukkend systeem, aldus Orwell, zijn 'de mensen die de meeste schade aanrichten, de mensen die het meeste goed willen doen'.

Vandaag de dag zijn de binnensteden oneindig veel schoner dan vroeger. Gebouwen zijn in hun oude glorie hersteld (ik herinner me nog de tijd dat in menige straat wel een huis stond dat gestut werd door houten balken omdat het anders zou instorten), parken staan vol fitnessapparaten en op elke straathoek bevindt zich een koffiebar die niet meer geurt naar de rookwalmen van ongefilterde sigaretten maar naar espressodampen. In de bioscoop draaien superheldenfilms of komedies over de lotgevallen van een gegoede middenklasse.

Buitenstaanders zien we nog wel, vooral op tv, maar dat is altijd volgens hetzelfde format. Dikke mensen vallen af. Arme mensen krijgen een nieuwe inrichting voor hun huis. Ex-alcoholisten vertellen in talkshows over alle ellende die ze anderen hebben aangedaan om te besluiten dat het nu gelukkig weer goed met ze gaat.

De dief heeft berouw, de moslim is verlicht, de migrant wil hard werken en de verslaafde wil van zijn ziekte genezen.

En zo marcheren we voort, langs blinkende levens en winkels in blinkende binnensteden, met een koptelefoon op en een iPhone in de hand, en wordt het steeds moeilijker om te zien dat dit allemaal ook maar een afspraak is. Dat wat in het dominante discours doorgaat voor de werkelijkheid, een ideologische constructie is, vol aannames, waarden en wetten die verhullen dat het ook anders kan.

Ooit herinnerden de buitenstaanders ons aan zo'n alternatief. Bij Orwell, Kerouac en Bukowski bevond echte vrijheid zich buiten de gevestigde orde. Hier kwamen mensen aan het woord die zich het recht toe-eigenden om een ronde pin in een vierkant gat te zijn.

Tegenwoordig is het andersom: vrijheid bevindt zich binnen de gevestigde orde, bij de mensen die het is gelukt de survival of the fittest te winnen en zodoende genoeg geld en vrijheid hebben gewonnen om het ervan te nemen. De buitenstaander is iemand geworden die niets liever wil dan meespelen, a seat at the table wil krijgen, maar dat alleen nog niet kan.

Er is geen buiten meer, alleen nog een binnen.

We zijn beland in een kelnercultuur.

Dit begrip is niet van George Orwell en heb ik ook niet zelf bedacht, maar komt van Magrite Glasz. In mei vorig jaar mailde ze me nadat mijn artikel 'Ode aan de loser' in *de Volkskrant* was verschenen. Ze vertelde dat ze vijftig jaar is, onlangs een studie sociologie heeft afgerond, daarvoor enige jaren als postbode werkte en daar weer voor elf jaar lang architect was geweest. Op dit moment had ze geen betaalde baan. Ze wees me op Orwells *Aan de grond in Londen en Parijs*. Ik had het nog niet gelezen.

In een chic hotel, schrijft Orwell, vereist elke functie een bepaald soort trots. Waardoor het dus ook een bepaald karaktertype aantrekt. Zo zijn de koks het meest zelfverzekerd: zij weten dat ze onmisbaar zijn en dat hun werk vakmanschap vereist. Ze kennen hun macht en stellen er daarom eer in om iedereen onder hen te beledigen.

De plongeurs, of afwassers, staan het laagst in de rang en hebben zodoende de trots van een werkezel: 'Op dit niveau bestaat er nog maar één deugd, namelijk het vermogen om steeds maar als een koelie door te blijven werken.'

En dan zijn er de kelners. Ook de kelner is trots op zijn bedrevenheid, maar dat is 'voornamelijk de bedrevenheid om serviel te zijn. De mentaliteit die hij door zijn werk krijgt is niet die van een vakman maar die van een snob. Hij leeft voortdurend onder de ogen van rijke mensen, staat aan hun tafel, luistert naar hun gesprekken, maakt met een glimlach tactvolle grapjes, hij is een strooplikker', aldus Orwell.

De kelner past zich aan. Hij beweegt mee, hoe rot zijn rijke gasten hem ook behandelen, omdat hij ervan overtuigd is dat zijn tijd nog wel zal komen. Daarom hoef je ook nooit medelijden te hebben met een kelner, schrijft Orwell. 'Wanneer je in een restaurant een halfuur na sluitingstijd nog zit te schransen heb je soms het gevoel dat de vermoeide kelner die een eindje verder zit jou wel een verachtelijk sujet moet vinden. Maar dat vindt hij helemaal niet. Terwijl hij naar je kijkt denkt hij niet: wat een volgevreten hark. Nee, hij denkt: op een goeie dag als ik genoeg geld gespaard heb zal ik ook kunnen wat die man doet. Hij draagt bij tot een genoegen dat hij volkomen begrijpt en bewondert.'

De kelner kijkt niet neer op mensen die hem slecht behandelen, maar bewondert hen. Daarom zijn kelners ook zelden socialisten, schrijft Orwell, en daarom werken ze aan één stuk door. Ze willen zo productief mogelijk zijn, ze geven nooit op. Omdat hun enige verlangen is om erbij te horen.

Dit zijn de mensen die dankbaar proberen te zijn, positief willen blijven denken, en zelfhulpboeken lezen. Omdat ze hopen dat ze op een dag aan de andere kant van de equatie zullen staan.

Of zoals Magrite Glasz schreef: 'Zo wordt de

bestaande ongelijkheid door (bijna) iedereen om-
armd (hoe arm ook), en niet bekritiseerd. Laat staan
dat mensen collectief in verzet zullen komen.'

In plaats daarvan zwoegen de meeste mensen een
leven lang door als slaven, zoals Orwell zegt. Ze houden zich aan de onuitgesproken aannames, waarden
en wetten, proberen zichzelf vorm te geven, proberen
groot te blijven dromen om zo te ontsnappen aan
de rest, maar de enigen die daar uiteindelijk bij ge-
baat zijn, is de 1 procent, de mensen die de wereld
opschransen terwijl om hen heen de kelners serviel
glimlachen omdat ze een cursus mindfulness hebben
gedaan.

In dit *Zelfverwoestingsboek* heb ik niet willen sug-
gereren dat het verkeerd is om aan jezelf te werken,
of om jezelf te willen verbeteren. Op de vraag: wat
maakt van de mens een mens? kun je net zo goed
antwoorden: zijn verlangen en vermogen om meer te
worden dan hij is. En zich met behulp van cultuur te
ontwikkelen. In kennis ligt bevrijding, in groei geluk.
Niemand sterft zoals hij geboren wordt, de ontwikkeling daartussen heet leven, en dat leven heb je deels
zelf in de hand. De vraag is alleen hoe je groei of
verbetering definieert.

De huidige definitie van zelfverbetering, de definitie die via dominante cultuur als zelfhulpboeken,
TED Talks en sociale media voortdurend op ons
afgevuurd wordt, is er bovenal een die gericht is op
een verbeterde aanpassing aan de wereld zoals zij is.

Om in die wereld productiever te zijn, efficiënter te kunnen werken, daar dankbaar voor te zijn en nog gelukkig mee ook. Maar het enige waar dat toe leidt, is dat we betere kelners zijn.

Wat ik in dit *Zelfverwoestingsboek* geprobeerd heb, is om die dominante cultuur te ontleden, de onderliggende ideologie bloot te leggen en de afspraken waar we ons, al dan niet bewust, in meer of mindere mate aan houden. Ik bracht categorieën aan in de hoop daarmee aan te tonen dat deze afspraken geschonden kunnen worden. Ik noemde de categorieën STINK, DRINK, BLOED, BRAND en DANS om een alternatief te bieden. Maar eigenlijk kwam het allemaal op hetzelfde neer.

Dit is een kwestie van trots.

Wat ik eigenlijk wilde zeggen is: wees geen kelner.

En als het echt niet anders kan, alsjeblieft, pis dan in die soep.

BRONNEN

Alles was goed en niets deed pijn.

—

KURT VONNEGUT, *SLACHTHUIS VIJF*

Een ronde pin in een vierkant gat te zijn, deel 1

Adidas, 'The Long Run', https://youtu.be/9l-xvPF14PE

Apple, 'Think Different', https://youtu.be/cFEarBzelBs

Levi's, 'Go Forth – The Laughing Heart Charles Bukowski', https://youtu.be/EXu2W4o0CP8

Bekijk ook de geweldige parodie op bovenstaande commercial: 'Go Forth and Revolt: Capitalists Have Stolen the Whole World From Us', https://youtu.be/UVc8auO1vuA

Charles Bukowski, *The Laughing Heart*, Black Sparrow Press, Boston 1996.

Lois P. Frankel, *Nice Girls Don't Get the Corner Office: Unconscious Mistakes Women Make that Sabotage Their Careers*, Hachette, UK 2014.

Nike, 'Dream Crazy', https://youtu.be/Fq2CvmgoO7I

Nike, 'Dream Crazier', https://youtu.be/whpJ19RJ4JY

'Als het voelt alsof er geen plek voor je is op deze wereld, moet je je niet afvragen wat er mis is met jou, maar wat er mis is met de wereld.'

TOELICHTING: Ik hoorde deze woorden van Virginia Woolf, en het bijbehorende bibliotheek-verhaal, ooit in een documentaire op tv, maakte er een soort leidraad voor het leven van en ik heb er sindsdien eindeloos op internet naar gezocht, maar het is me nooit gelukt om het exacte citaat te vinden. Misschien is mijn kennis van Engels te beperkt (ik probeerde steeds net andere bewoordingen), misschien is toch niet alles op internet te vinden (een troostrijke gedachte), theoretisch is het zelfs mogelijk dat Virginia Woolf dit nooit gezegd heeft en mijn gemankeerde geheugen de zin zelf heeft gefabriceerd. In de praktijk weet ik echter zeker dat er een documentaire is, een jaar of vijftien geleden vertoond op de Nederlandse tv, waarin deze uitspraak aan Virginia Woolf toegeschreven wordt. Ik heb nog altijd goede hoop dat ik de bron ervan ga vinden.

Aldous Huxley, *Heerlijke nieuwe wereld*, vert. Pauline Moody, Uitgeverij Rainbow, Amsterdam 1999.

STINK

Jeremy Helligar, 'Steven Spielberg defends Harrison Ford against claims he's too old to play Indiana Jones again', 2016, https://celebrity.nine.com.au/movies/fix230616steven-spielberg-harrison-ford-indiana-jones-sequel/b78da91f-4842-491f-95b4-ce63c3f2708d

Laurie Penny, *Meat Market: Female Flesh Under Capitalism*, John Hunt Publishing, Londen 2011.

Logan Hill, 'Plastic Surgery With a Mouse Click', *Vulture*, 4 april 2016, https://www.vulture.com/2016/03/special-effects-c-v-r.html

Dit is de YouTube-demonstratie van beauty works waar *Vulture* over schrijft:
    Mocha, 'Fantasy Elf Shot from Start to Finish using mocha Pro and After Effects', https://youtu.be/BWvCqZVXcDI

Janaki Jitchotvisut, 'A magazine is being accused of Photo-shopping out Meghan Markle's favorite feature', *Business Insider*, 4 december 2017, https://www.businessinsider.com/

elle-france-accused-photoshopping-meghan-markle-freck-les-2017-12?international=true&r=US&IR=T

Graham Ruddick, 'Lupita Nyong'o accuses *Grazia* of editing her hair to fit "Eurocentric" ideals', *The Guardian*, 10 november 2017, https://www.theguardian.com/film/2017/nov/10/lupita-nyongo-grazia-editing-hair-eurocentric

Elly Hunt, 'Faking it: how selfie dysmorphia is driving people to seek surgery', *The Guardian*, 23 januari 2019, https://www.theguardian.com/lifeandstyle/2019/jan/23/faking-it-how-selfie-dysmorphia-is-driving-people-to-seek-surgery

Marshall McLuhan, *Understanding Media: The Extensions of Man*, McGraw-Hill, New York 1964.

De beste en makkelijkste introductie tot McLuhans gedachtegoed is de geweldige documentaire *McLuhan's Wake* (2002) van Kevin McMahon.

Kevin McMahon, 'McLuhan's Wake', https://www.youtube.com/watch?v=s6cXeNDCy-k

Deirdre Carmody, '*Time* Responds to Criticism Over Simpson Cover', *New York Times*, 25 juni 1994, https://www.nytimes.com/1994/06/25/us/time-responds-to-criticism-over-simpson-cover.html

Mark Sweney, 'Beyoncé Knowles: L'Oreal accused of "whitening" singer in cosmetics ad', *The Guardian*, 8 augustus 2008, https://www.theguardian.com/media/2008/aug/08/advertising.usa

Ingeborg van Lieshout, 'Parfum in een pil', *Bright.nl*, 29 september 2011, https://www.bright.nl/nieuws/artikel/4046431/parfum-een-pil

'Adriaan van Dis', *Zomergasten*, VPRO, 2012, https://www.vpro.nl/programmas/zomergasten/lees/gasten/2012/adriaan-van-dis.html

Evgeny Morozov, 'There's an app for that', *De Nieuwe Reporter*, 12 oktober 2013. https://www.denieuwereporter.nl/2013/10/theres-an-app-for-that/

DRINK

Bertrand Russell, *De Geschiedenis van de westerse filosofie*, vert. Rob Limburg en Vivian Franken, Servire, Amsterdam 2006.

Arnon Grunberg, 'Oorlog en kamp gaan altijd ook over ons', *NRC Handelsblad*, 3 mei 2019, https://www.nrc.nl/nieuws/2019/05/03/oorlog-en-kamp-gaan-altijd-ook-over-ons-a3959083

'Wees altijd dronken' van Charles Baudelaire is online te vinden, zoek het op! En zie dat er ook andere manieren zijn om de roes te bereiken, al is alcohol wel de effectiefste.

Charles Baudelaire, 'Wees altijd dronken', uit: *Het spleen van Parijs*, vert. Jacob Groot, De Bezige Bij, Amsterdam 1980.

'Toen ik begon te schrijven' is afkomstig uit de bundel *Slordig met geluk,*
    Menno Wigman, *Slordig met geluk,* Prometheus, Amsterdam 2016.

BLOED

Buffy the Vampire Slayer, Joss Whedon, The WB, 1997-2003, USA.

'"Depression: let's talk" says WHO, as depression tops list of causes of ill health', *World Health Organization*, 30 maart 2017, https://www.who.int/news-room/detail/30-03-2017--depression-let-s-talk-says-who-as-depression-tops-list-of-causes-of-ill-health

Frederiek Weeda, 'Damiaan Denys: Het ís niet normaal om mooi en succesvol te zijn en alles onder controle te hebben', *NRC Handelsblad*, 21 september 2018, https://www.nrc.nl/nieuws/2018/09/21/het-is-niet-normaal-om-mooi-en-succesvol-te-zijn-en-alles-onder-controle-te-hebben-a1626090

Brainwash Talk, 'Waarom psychiaters overuren draaien – psychiater Dirk De Wachter', https://www.youtube.com/watch?v=Tjto_Z7RnlE

Byung-Chul Han, *De vermoeide samenleving*, vert. Frank Schuitemaker, Uitgeverij van Gennep, Amsterdam 2014.

Nick Allen, 'Brad Pitt: "I suffered depression"', *The Telegraph*, 26 januari 2012, https://www.telegraph.co.uk/news/celebritynews/9042512/Brad-Pitt-I-suffered-depression.html

The Trap: What Happened to Our Dream of Freedom, Adam Curtis, BBC, 2007. Alle drie de delen zijn online te vinden, het eerste deel is 'Fuck You Buddy': https://vimeo.com/91091359. Deel 2 heet 'The Lonely Robot'. Deel 3: 'We Will Force You to Be Free'. In deze reeks toont Adam Curtis hoe de neoliberale wereldorde is ontstaan, en dat doet hij zoals gewoonlijk briljant.

Johannes Visser en Kauthar Bouchallikht, 'Wie je bent, bepaalt je succes (maar wat moet het onderwijs daarmee?)', *De Correspondent*, 11 december 2018, https://decorrespondent.nl/8995/wie-je-bent-bepaalt-je-succes-maar-wat-moet-het-onderwijs-daarmee/714679735-2e1ea165

Mark Fisher, *Capitalist Realism: Is There No Alternative?*, Zero Books, Winchester 2009.

'David Simon', *Wintergasten*, VPRO, 28 december 2009.

'Anouk', *College Tour*, NTR, 19 juni 2015, https://www.npo3.nl/college-tour/19-06-2015/VPWON_1243994

Albert Camus, *De Mens in opstand*, vert. Martine Woudt, De Prom, Amsterdam 2004.

BRAND

Dorothy Parker, *The Collected Dorothy Parker*, Penguin, Londen 1989.

Her, Spike Jonze, Warner Bros 2013.

De robotisering van de samenleving volgens Oxford University:
Carl Benedikt Frey en Michael A. Osborne. 'The future of employment: how susceptible are jobs to computerisation?' *Technologicalforecastingandsocialchange* 114 (2017) 254-280, https://www.oxfordmartin.ox.ac.uk/downloads/academic/The_Future_of_Employment.pdf

Esther Perel, '*Where Should We Begin?*', https://www.esther-perel.com/podcast

Ursula K. Le Guin, *The Dispossessed*, HarperCollins, Londen 1994.

DANS

'Style' is afkomstig uit *Mockingbird Wish Me Luck* van Charles Bukowski,
Charles Bukowski, *Mockingbird Wish Me Luck*, Harper Collins, Londen 1992.

Tenacious D, 'Tribute', https://youtu.be/_lK4cX5xGiQ

Sjors Roeters, Radna Fabias: 'Zien hoe een man zijn piemel afplakt en een spagaat in een glitterjurk doet', *De Groene Amsterdammer*, 19 december 2018, https://www.groene.nl/artikel/zien-hoe-een-man-zijn-piemel-afplakt-en-een-spagaat-in-een-glitterjurk-doet

The Hours, geregisseerd door Stephen Daldry, Paramount Pictures 2002.

Kanye West, 'So Appalled', https://youtu.be/eeUjappYvTY

Kanye West, 'Never Let Me Down', https://youtu.be/p4NvOKy7GOU

'Nosedive', *Black Mirror*, geschreven door Charlie Brooker, geregisseerd door Joe Wright, House of Tomorrow, 2016.

Over het Chinese sociaal kredietsysteem is veel geschreven. Het onderstaande artikel geeft veel handige informatie.

Leen Vervaeke, 'Je ouders niet bezocht? Puntje eraf', *De Groene Amsterdammer*, 12 september 2018, https://www.groene.nl/artikel/je-ouders-niet-bezocht-puntje-eraf

Stephen Chen, 'Forget the Facebook leak: China is mining data directly from workers' brains on an industrial scale', *South-China Morning Post*, 29 april 2019, https://www.scmp.com/news/china/society/article/2143899/forget-facebook-leak-china-mining-data-directly-workers-brains

Yuval Noah Harari, *21 Lessons for the 21st Century*. Random House, New York 2018.
  Voor wie (nog) niet het hele boek wil lezen is hier een goed artikel van Harari waarin hij het een en ander samenvat: Yuval Noah Harari, 'Why Technology Favors Tyranny', *The Atlantic*, oktober 2018. https://www.theatlantic.com/magazine/archive/2018/10/yuval-noah-harari-technology-tyranny/568330/

Douglas Quenqua, 'Facebook Knows You Better Than Anyone Else', *The New York Times*, 19 januari 2015, https://www.nytimes.com/2015/01/20/science/facebook-knows-you-better-than-anyone-else.html

De quote van Samuel Beckett is afkomstig uit 'Worstward
Ho' (1983), dat gepubliceerd is in de verzamelbundel *Nohow
On* (1989).

Samuel Beckett, *Nohow On: Company, Ill Seen Ill Said,
Worstward Ho*, Grove, New York 1996.

Een ronde pin
in een vierkant gat
te zijn, deel 2

George Orwell, *Aan de Grond in Londen en Parijs*, vert. Joop Waasdorp, Meulenhoff, Amsterdam 1970.

Jack Kerouac, *On the Road*, Penguin Books, New York 1957.

Oscar Wilde, *The Soul of Man under Socialism and Selected Critical Prose*, Penguin, Londen 2001.

Marian Donner, 'Omarm de loser, want hij durft uit de rat-race te stappen', *de Volkskrant*, 4 mei 2018, https://www.volkskrant.nl/columns-opinie/omarm-de-loser-want-hij-durft-uit-de-ratrace-te-stappen~bd83f4af/

Kurt Vonnegut, *Slachthuis vijf*, vert. Elise Hoog, Meulenhoff, Amsterdam 2012.